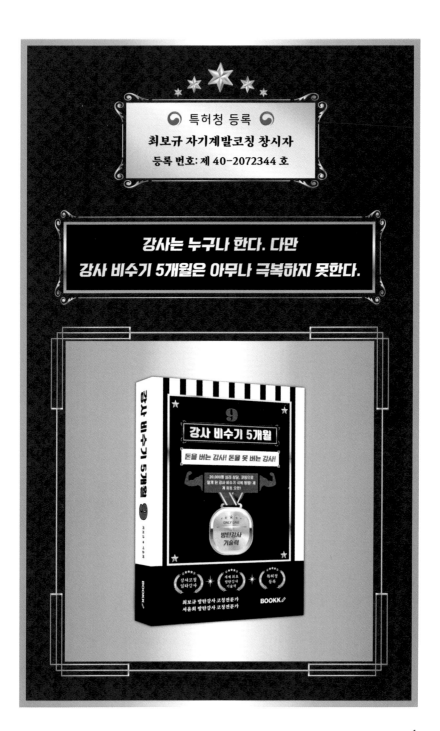

특허청 등록
최보규 자기계발코칭 창시자
등록 번호: 제 40-2072344 호

강사는 누구나 한다. 다만
강사 비수기 5개월은 아무나 극복하지 못한다.

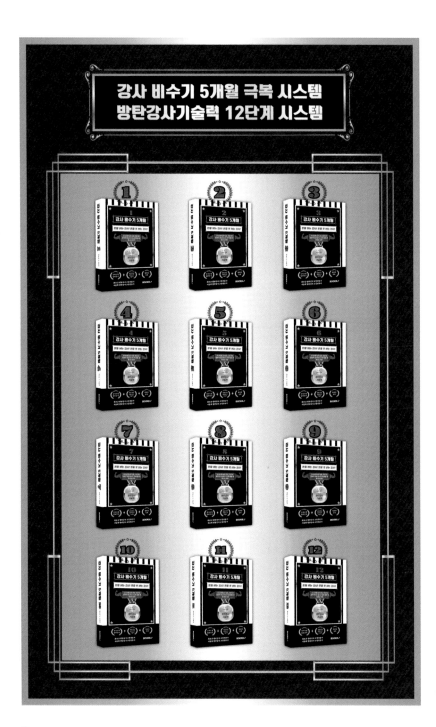

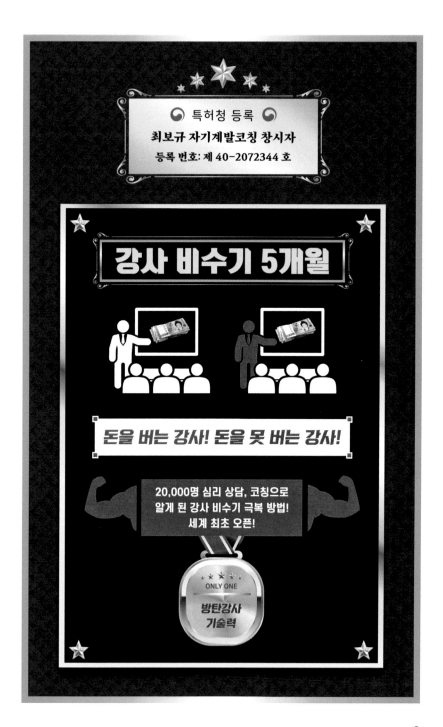

특허청 등록

최보규 자기계발코칭 창시자

등록 번호: 제 40-2072344 호

강사 비수기 5개월

돈을 버는 강사! 돈을 못 버는 강사!

20,000명 심리 상담, 코칭으로
알게 된 강사 비수기 극복 방법!
세계 최초 오픈!

ONLY ONE

방탄강사
기술력

특허청 등록
최보규 자기계발코칭 창시자
등록 번호: 제 40-2072344 호

강사는 누구나 한다. 다만
강사 비수기 5개월은 아무나 극복하지 못한다.

방탄강사기술력 사명

들어라 하지 말고 듣게 하자.
누구처럼 살지 말고 나답게 살자.
좋아하게 하지 말고 좋아지게 하자.
마음을 얻으려 하지 말고 마음을 열게 하자.
믿으라 말하지 말고 믿을 수 있는 사람이 되자.
좋은 사람을 기다리지 말고 좋은 사람이 되어주자.
보여주는(인기) 인생을 사는 것이 아닌
보여지는(인정) 인생을 살아가자.
나 이런 사람이야 말하지 않아도 이런 사람이구나.
몸, 머리, 마음으로 느끼게 하자

-최보규 방탄기술력 창시자 -

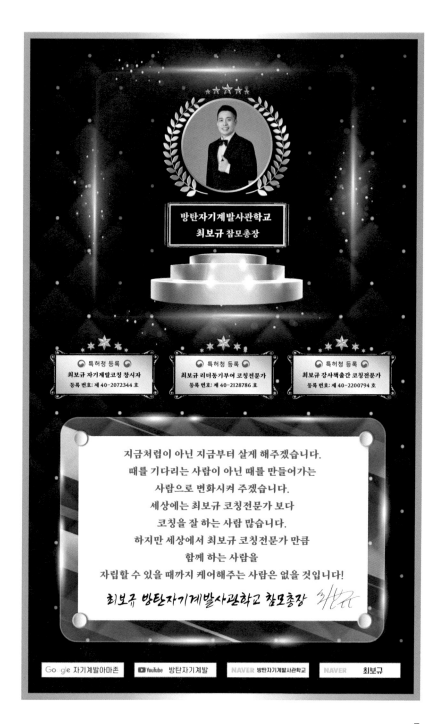

방탄자기계발사관학교
최보규 참모총장

지금처럼이 아닌 지금부터 살게 해주겠습니다.
때를 기다리는 사람이 아닌 때를 만들어가는
사람으로 변화시켜 주겠습니다.
세상에는 최보규 코칭전문가 보다
코칭을 잘 하는 사람 많습니다.
하지만 세상에서 최보규 코칭전문가 만큼
함께 하는 사람을
자립할 수 있을 때까지 케어해주는 사람은 없을 것입니다!

최보규 방탄자기계발사관학교 참모총장

강사 비수기 5개월
머리말

강사는 누구나 한다. 다만
강사 비수기 5개월은 아무나 극복하지 못한다.

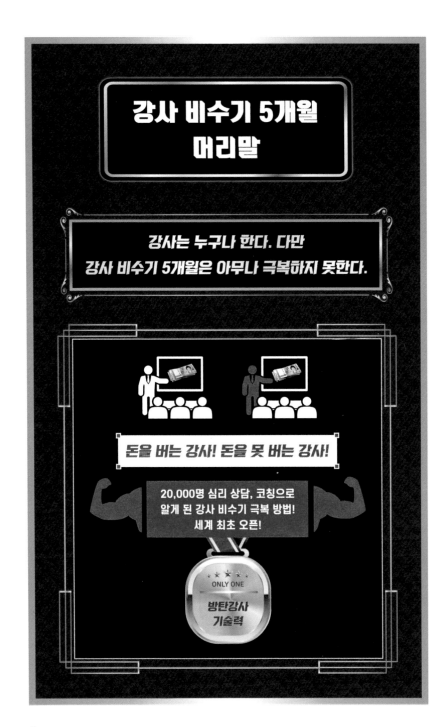

돈을 버는 강사! 돈을 못 버는 강사!

20,000명 심리 상담, 코칭으로
알게 된 강사 비수기 극복 방법!
세계 최초 오픈!

ONLY ONE

방탄강사
기술력

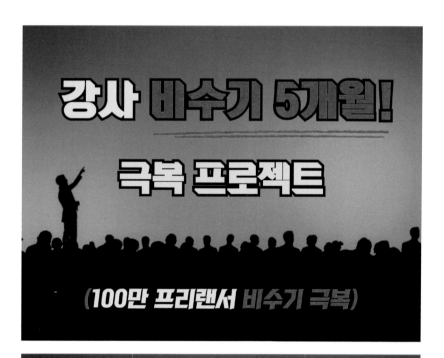

비수기 현실을 알아야만
프리랜서 비수기, 강사 비수기를
극복 할 수 있다.
프리랜서(강사)
비수기 극복을 위한 프로젝트!
시작한다!

(100만 프리랜서 비수기 극복)

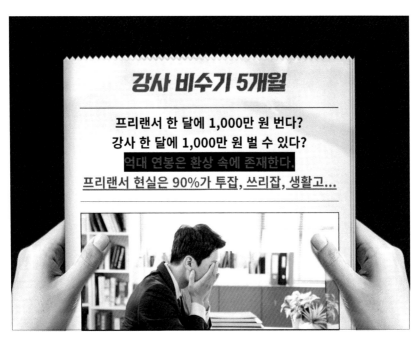

강사 비수기 5개월

프리랜서 한 달에 1,000만 원 번다?
강사 한 달에 1,000만 원 벌 수 있다?
억대 연봉은 환상 속에 존재한다.
프리랜서 현실은 90%가 투잡, 쓰리잡, 생활고...

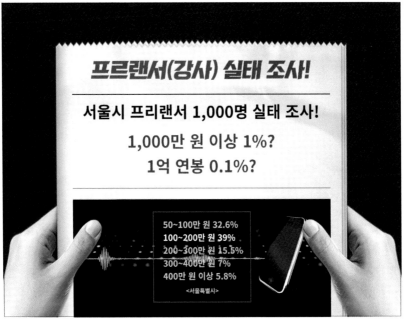

프르랜서(강사) 실태 조사!

서울시 프리랜서 1,000명 실태 조사!

1,000만 원 이상 1%?

1억 연봉 0.1%?

50~100만 원 32.6%
100~200만 원 39%
200~300만 원 15.5%
300~400만 원 7%
400만 원 이상 5.8%

<서울특별시>

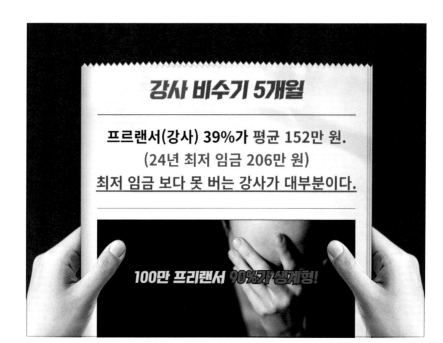

강사 비수기 5개월

프르랜서(강사) 39%가 평균 152만 원.
(24년 최저 임금 206만 원)
<u>최저 임금 보다 못 버는 강사가 대부분이다.</u>

100만 프리랜서 90%가 생계형!

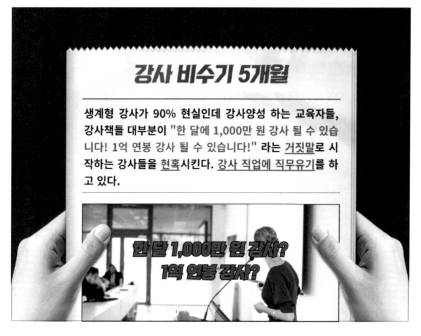

강사 비수기 5개월

생계형 강사가 90% 현실인데 강사양성 하는 교육자들,
강사책들 대부분이 "한 달에 1,000만 원 강사 될 수 있습
니다! 1억 연봉 강사 될 수 있습니다!" 라는 <u>거짓말</u>로 시
작하는 강사들을 <u>현혹</u>시킨다. <u>강사 직업에 직무유기</u>를 하
고 있다.

한 달 1,000만 원 강사?
1억 연봉 강사?

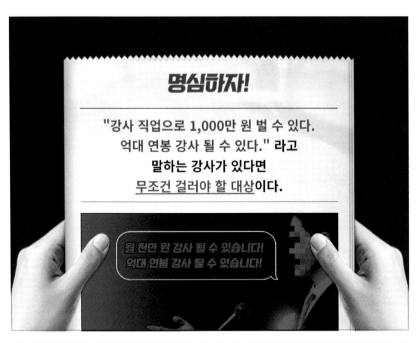

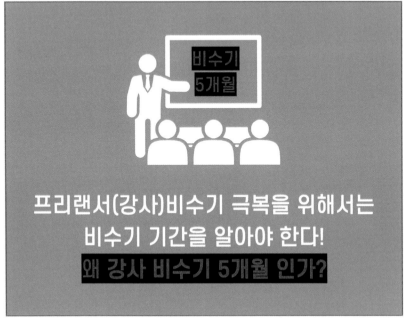

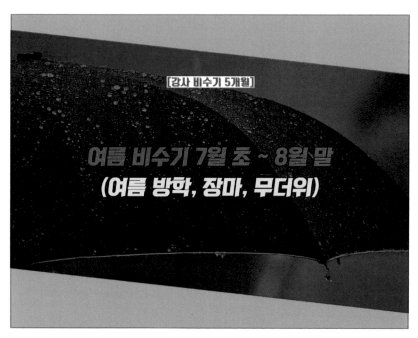

[강사 비수기 5개월]

여름 비수기 7월 초 ~ 8월 말
(여름 방학, 장마, 무더위)

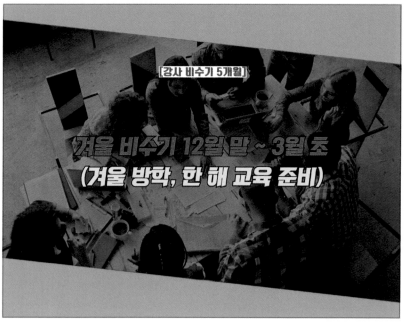

[강사 비수기 5개월]

겨울 비수기 12월 말 ~ 3월 초
(겨울 방학, 한 해 교육 준비)

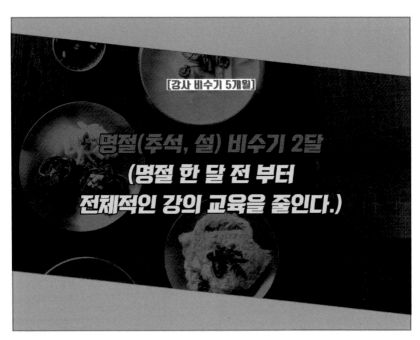

[강사 비수기 5개월]

명절(추석, 설) 비수기 2달
(명절 한 달 전 부터
전체적인 강의 교육을 줄인다.)

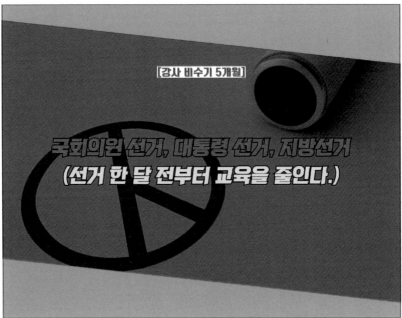

[강사 비수기 5개월]

국회의원 선거, 대통령 선거, 지방선거
(선거 한 달 전부터 교육을 줄인다.)

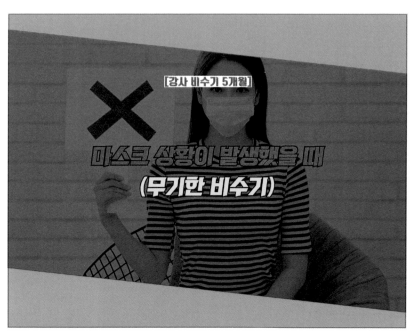

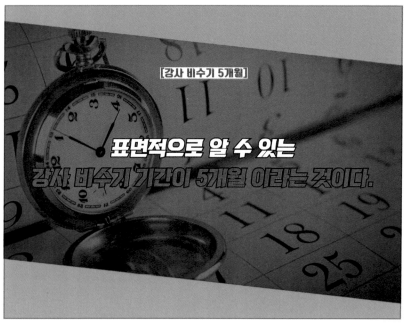

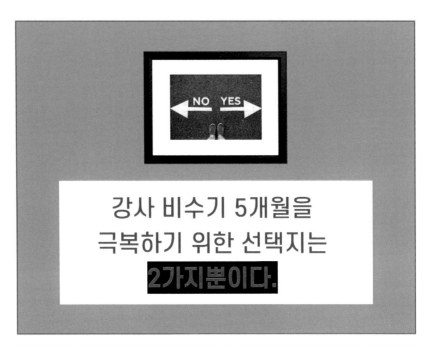

강사 비수기 5개월을 극복하기 위한 선택지는 2가지뿐이다.

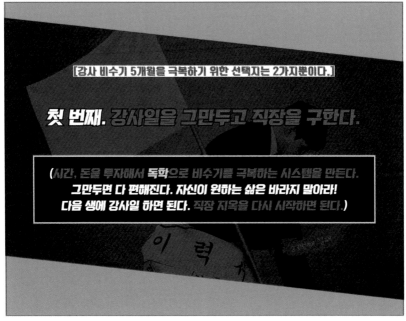

[강사 비수기 5개월을 극복하기 위한 선택지는 2가지뿐이다.]

첫 번째. 강사일을 그만두고 직장을 구한다.

(시간, 돈을 투자해서 **독학**으로 비수기를 극복하는 시스템을 만든다.
그만두면 다 편해진다. 자신이 원하는 삶은 바라지 말아라!
다음 생에 강사일 하면 된다. 직장 지옥을 다시 시작하면 된다.)

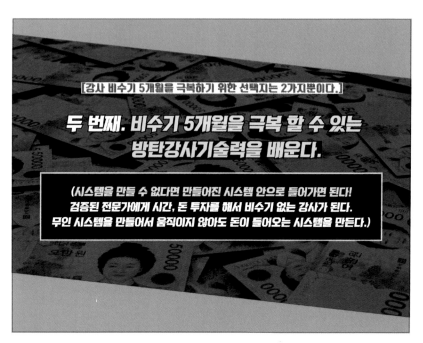

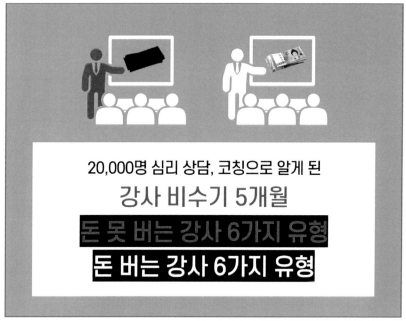

20,000명 심리 상담, 코칭으로 알게 된
강사 비수기 5개월 <u>돈 못 버는 강사</u> 6가지 유형

1. 강사 인맥 없음.
2. 강의 거래처 없음.
3. 강사 스펙 없음.
4. 강사료 10만 원 이하 강의만 하는 강사 (평균 10건 강의 중 80%가 10만 원 이하 강의를 하는 강사. 10건 중 8건 평균 강사료가 1시간에 10만 원 이라면 강사 몸값은 10만 원이 되는 것이다.)
5. 강의 경력이 10년, 20년이 되어도 강사료가 그대로인 강의를 하는 강사 (관공서 강의, 학교 강의, 복지관 강의, 의무 교육 강의...강사료가 100년이 지나도 고정되어 있는 강의 분야)
6. 온라인 콘텐츠, 디지털 콘텐츠 디자인 제작을 못하는 강사

#. 6가지 유형 중 한 가지라도 해당되면 돈을 벌 수 없다.

20,000명 심리 상담, 코칭으로 알게 된
강사 비수기 5개월 <u>돈 버는 강사</u> 6가지 유형

1. 강사 양성 교육 시스템(강사 교육, 코칭)이 있는 강사
2. 민간 자격증 교육 시스템(검증된 민간 자격증 발급 기관)이 있는강사
3. 단톡, 밴드, 카페, 모임방(100명 이상)을 운영하는 단체, 협회 장
4. 강사 에이전시(기업과 강사를 연결) 역할을 하는 단체, 협회 장
5. 강의 전문 분야로 온라인 콘텐츠 제작
   (PPT 디자인, 영상 디자인, 홍보 디자인)을 할 수 있는 강사
6. 책, 디지털 콘텐츠 제작으로 무인 시스템을 만든 강사

#. 6가지 유형을 모두 하더라도 돈을 무조건 버는 것이 아니다. 극소수 강사만 돈을 번다.(0.1%)

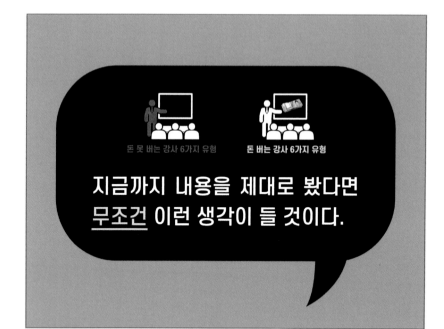

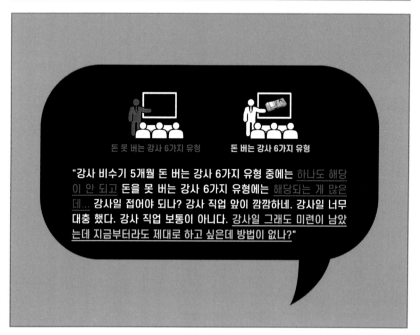

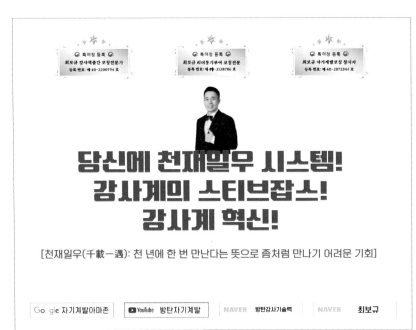

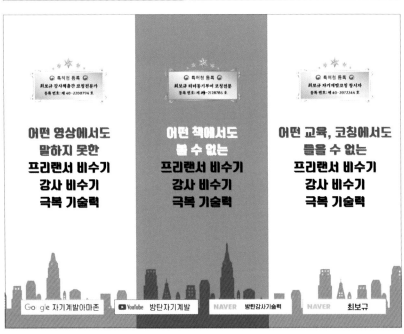

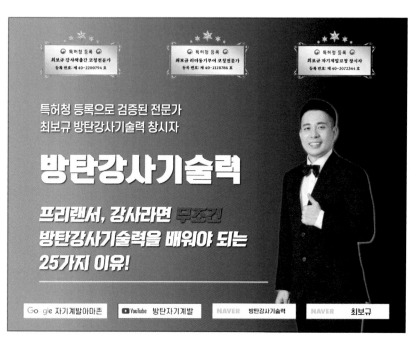

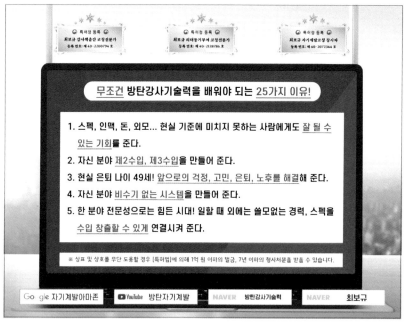

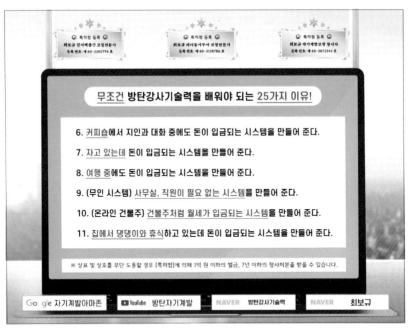

무조건 **방탄강사기술력**을 배워야 되는 25가지 이유!

6. 커피숍에서 지인과 대화 중에도 돈이 입금되는 시스템을 만들어 준다.

7. 자고 있는데 돈이 입금되는 시스템을 만들어 준다.

8. 여행 중에도 돈이 입금되는 시스템을 만들어 준다.

9. (무인 시스템) 사무실, 직원이 필요 없는 시스템을 만들어 준다.

10. (온라인 건물주) 건물주처럼 월세가 입금되는 시스템을 만들어 준다.

11. 집에서 댕댕이와 휴식하고 있는데 돈이 입금되는 시스템을 만들어 준다.

※ 상표 및 상호를 무단 도용할 경우 [특허법]에 의해 1억 원 이하의 벌금, 7년 이하의 형사처분을 받을 수 있습니다.

Go gle 자기계발아마존 ▶YouTube 방탄자기계발 NAVER 방탄강사기술력 NAVER 최보규

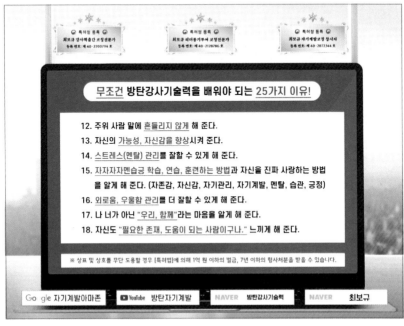

무조건 **방탄강사기술력**을 배워야 되는 25가지 이유!

12. 주위 사람 말에 흔들리지 않게 해 준다.

13. 자신의 가능성, 자신감을 향상시켜 준다.

14. 스트레스(멘탈) 관리를 잘할 수 있게 해 준다.

15. 자자자자멘습긍 학습, 연습, 훈련하는 방법과 자신을 진짜 사랑하는 방법을 알게 해 준다. (자존감, 자신감, 자기관리, 자기계발, 멘탈, 습관, 긍정)

16. 외로움, 우울함 관리를 더 잘할 수 있게 해 준다.

17. 나 너가 아닌 "우리, 함께"라는 마음을 알게 해 준다.

18. 자신도 "필요한 존재, 도움이 되는 사람이구나." 느끼게 해 준다.

※ 상표 및 상호를 무단 도용할 경우 [특허법]에 의해 1억 원 이하의 벌금, 7년 이하의 형사처분을 받을 수 있습니다.

Go gle 자기계발아마존 ▶YouTube 방탄자기계발 NAVER 방탄강사기술력 NAVER 최보규

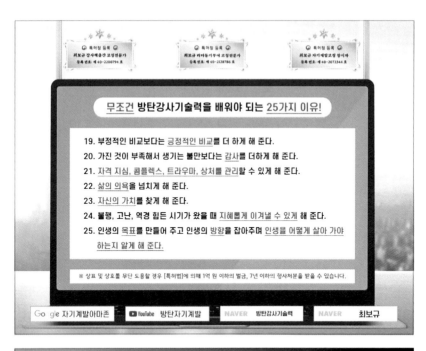

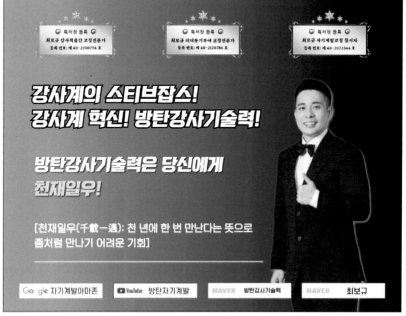

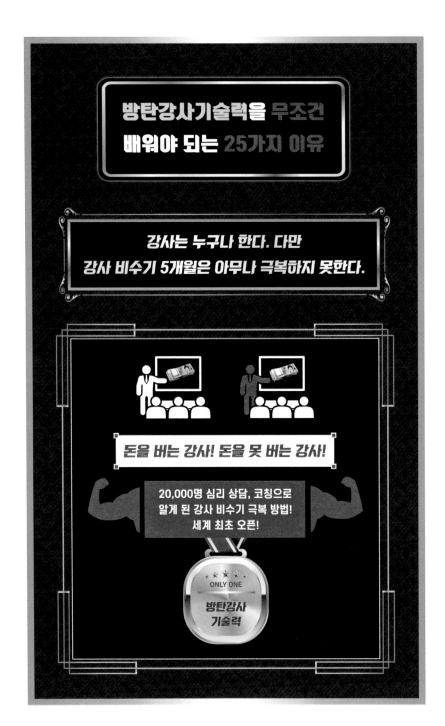

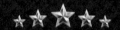

방탄강사기술력

방탄강사기술력은
강사 비수기 극복, 수입 창출만 하는
기술력이 아니다.
"당신은 제가 좋은 사람이 되고
싶도록 만들어요." 말을 들을 수 있는
강사 인재를 양성하는 기술력이다!

Google 자기계발아마존　｜　▶ YouTube 방탄자기계발　｜　NAVER 방탄강사기술력　｜　NAVER 최보규

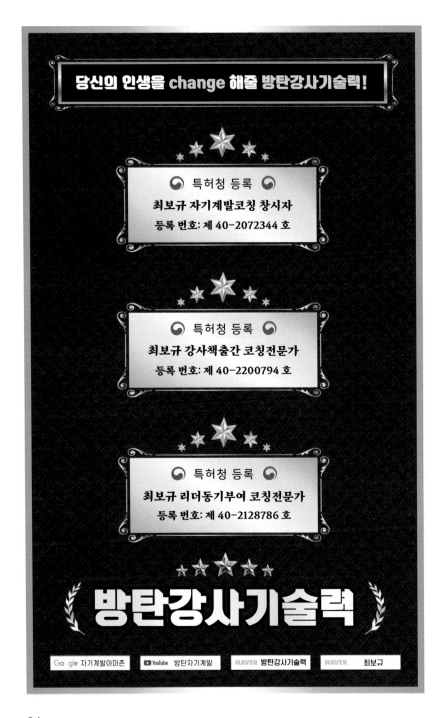

평균 희망 은퇴 73세, 현실 은퇴 나이 49세!
100세 시대 언제까지 몸(노동)으로만
일해서 돈을 벌 것인가?

세상, 현실 기준에서 스펙, 돈, 인맥, 자산 등이
없어서 100세까지 노동을 해야 되고 몸까지 아
프면 더 답이 없는 상황! 젊을 때는 100가지 중
99가지를 할 수 있지만 나이 들면 100가지 중
99가지를 할 수 없다. 3고 시대, AI 시대, 챗
GPT 시대에 자신의 직업이 사라 질 수 있는 상황
에서 어떻게 준비, 대비할 것인가?

 방탄강사기술력
선택이 아닌 필수!

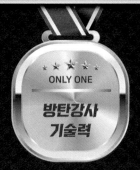

ONLY ONE
방탄강사
기술력

Go gle 자기계발아마존 | ▶YouTube 방탄자기계발 | NAVER 방탄강사기술력 | NAVER 최보규

기업들 희망퇴직 만 40세부터... **회망퇴직 나이 73세 이고 대한민국 현실 은퇴 나이 49세! 20대 은퇴 예정 자? 30대 은퇴 확정자?** 40대 은퇴 위험군?

노벨상 받은 사람, 하버드 대학교 교수, 은퇴 전문가, 노후 전문가들 1,000명 이면 1,000명이 말하는 것은 최고의 은퇴 준비, 노후 준비는 <u>100세까지 현역</u>을 하는 것이다. 왜 가지고 있는 경력을 썩히고 있는가? 쌓은 경력은 사직, 퇴직, 은퇴... 하면 인정해 주지 않는 현실 속에서 쌓은 경력으로 100세까지 지속할 수 있는 JOB이 있다면? 나이 제한 없이 할 수 있는 JOB이 있다면?

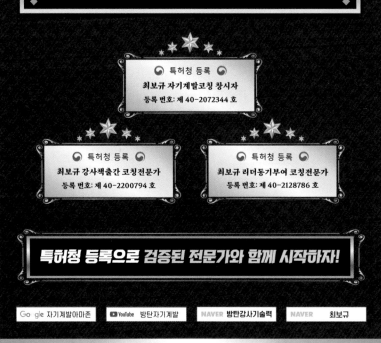

🌕 특허청 등록 🌕
최보규 자기계발코칭 창시자
등록 번호: 제 40-2072344 호

🌕 특허청 등록 🌕
최보규 강사책출간 코칭전문가
등록 번호: 제 40-2200794 호

🌕 특허청 등록 🌕
최보규 리더동기부여 코칭전문가
등록 번호: 제 40-2128786 호

특허청 등록으로 검증된 전문가와 함께 시작하자!

Go gle 자기계발아마존   ▶YouTube 방탄자기계발   NAVER 방탄강사기술력   NAVER 최보규

한 분야 전문성으로 힘든 시대다. 이제는 포트폴리오 커리어 시대다. (포트폴리오 커리어: 한 분야 전문성 외 다수에 전문성이 있는 사람) 자신 경력을 왜 썩히고 있는가! 자신 경력을 활용해서 6가지 수입을 발생시킬 수 있는 방탄강사기술력! 언제까지 몸(노동)으로 일할 것인가? 자신 경력이 일하게 하자! 자신 콘텐츠가 일하게 하자! 시스템이 일하게 하자!

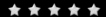

★ ★ ★ ★ ★

직장은 자신 인생을 책임져 주지 않지만
방탄강사기술력은 자신 인생을 책임져 준다.
직장은 자신을 배신하지만
방탄강기술력은 자신을 배신하지 않는다.

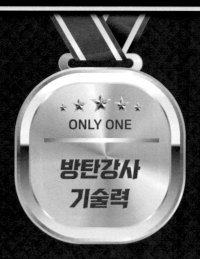

ONLY ONE

방탄강사
기술력

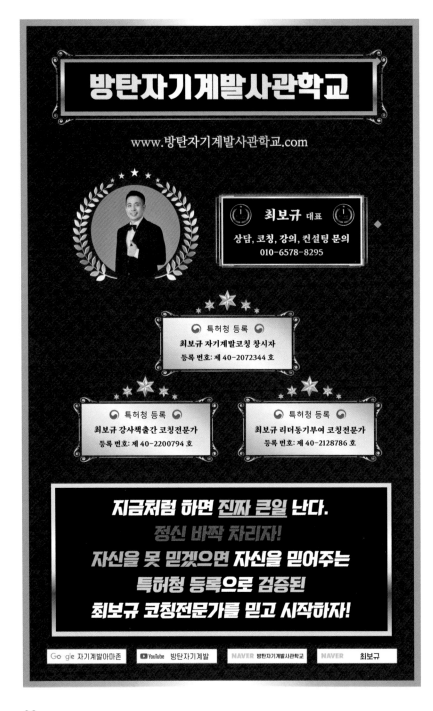

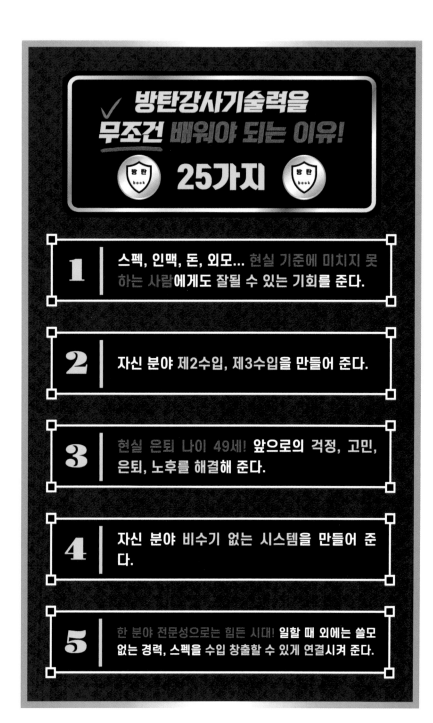

방탄강사기술력을 ✓
무조건 배워야 되는 이유!
25가지

1 스펙, 인맥, 돈, 외모... 현실 기준에 미치지 못하는 사람에게도 잘될 수 있는 기회를 준다.

2 자신 분야 제2수입, 제3수입을 만들어 준다.

3 현실 은퇴 나이 49세! 앞으로의 걱정, 고민, 은퇴, 노후를 해결해 준다.

4 자신 분야 비수기 없는 시스템을 만들어 준다.

5 한 분야 전문성으로는 힘든 시대! 일할 때 외에는 쓸모 없는 경력, 스펙을 수입 창출할 수 있게 연결시켜 준다.

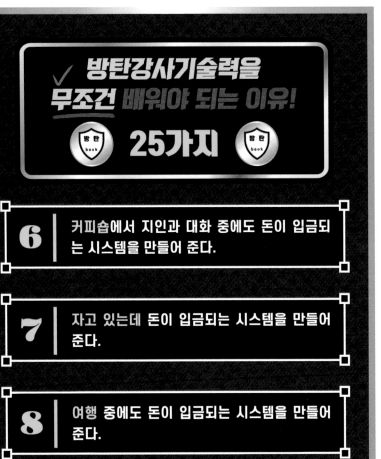

방탄강사기술력을 무조건 배워야 되는 이유! 25가지

6 | 커피숍에서 지인과 대화 중에도 돈이 입금되는 시스템을 만들어 준다.

7 | 자고 있는데 돈이 입금되는 시스템을 만들어 준다.

8 | 여행 중에도 돈이 입금되는 시스템을 만들어 준다.

9 | (무인 시스템) 사무실, 직원이 필요 없는 시스템을 만들어 준다.

10 | (온라인 건물주) 건물주처럼 월세가 입금되는 시스템을 만들어 준다.

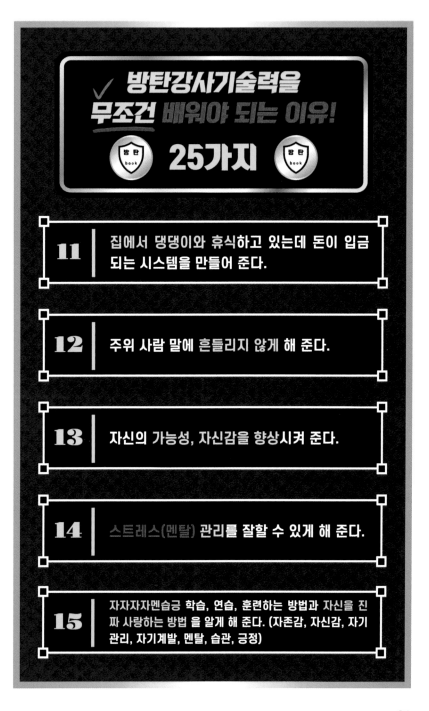

방탄강사기술력을 ✓ 무조건 배워야 되는 이유! 25가지

11 | 집에서 댕댕이와 휴식하고 있는데 돈이 입금 되는 시스템을 만들어 준다.

12 | 주위 사람 말에 흔들리지 않게 해 준다.

13 | 자신의 가능성, 자신감을 향상시켜 준다.

14 | 스트레스(멘탈) 관리를 잘할 수 있게 해 준다.

15 | 자자자자멘습긍 학습, 연습, 훈련하는 방법과 자신을 진 짜 사랑하는 방법을 알게 해 준다. (자존감, 자신감, 자기 관리, 자기계발, 멘탈, 습관, 긍정)

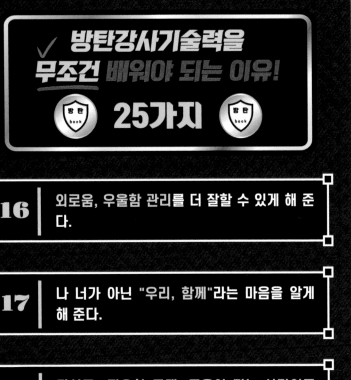

방탄강사기술력을 무조건 배워야 되는 이유! 25가지

16	외로움, 우울함 관리를 더 잘할 수 있게 해 준다.

17	나 너가 아닌 "우리, 함께"라는 마음을 알게 해 준다.

18	자신도 "필요한 존재, 도움이 되는 사람이구나." 느끼게 해 준다.

19	부정적인 비교보다는 긍정적인 비교를 더 하게 해 준다.

20	가진 것이 부족해서 생기는 불만보다는 감사를 더하게 해 준다.

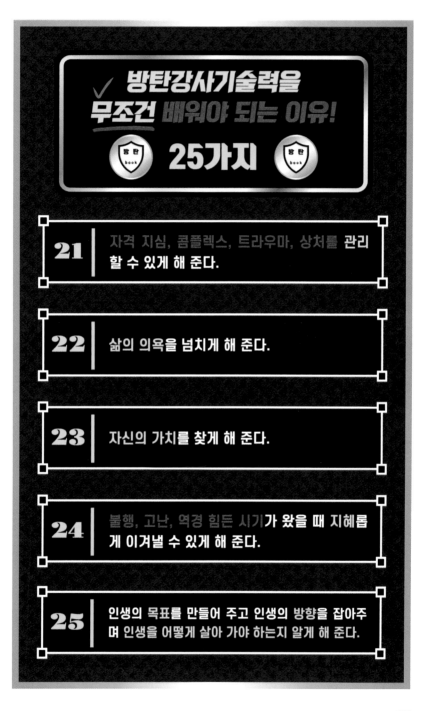

방탄강사기술력을
무조건 배워야 되는 이유!
25가지

21 ┃ 자격 지심, 콤플렉스, 트라우마, 상처를 관리
할 수 있게 해 준다.

22 ┃ 삶의 의욕을 넘치게 해 준다.

23 ┃ 자신의 가치를 찾게 해 준다.

24 ┃ 불행, 고난, 역경 힘든 시기가 왔을 때 지혜롭
게 이겨낼 수 있게 해 준다.

25 ┃ 인생의 목표를 만들어 주고 인생의 방향을 잡아주
며 인생을 어떻게 살아 가야 하는지 알게 해 준다.

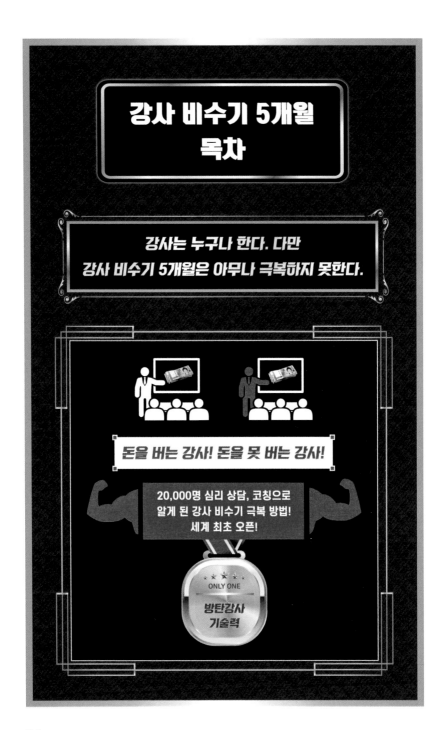

목차

《강사 비수기 5개월 9》

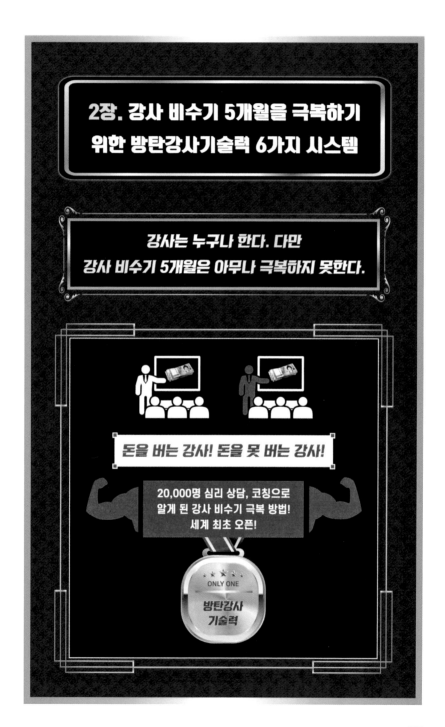

2장. 강사 비수기 5개월을 극복하기 위한 방탄강사기술력 6가지 시스템

강사는 누구나 한다. 다만 강사 비수기 5개월은 아무나 극복하지 못한다.

돈을 버는 강사! 돈을 못 버는 강사!

20,000명 심리 상담, 코칭으로 알게 된 강사 비수기 극복 방법! 세계 최초 오픈!

★ ★ ★ ★ ★
ONLY ONE

방탄강사 기술력

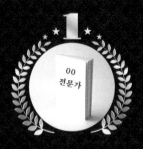

1. 포트폴리오 커리어
강사 리더는 왜!
작가 자기계발을 해야 하는가?

강사 리더는 자신 분야의 전문가다. 짝퉁 전문가는 매뉴얼, 시스템이 머리에만 있어 말로만 한다. 명품 전문가는 매뉴얼, 시스템이 자료화(전문 서적)되어 있다. 강사 리더의 경력은 스펙이 아니다. 강사 리더가 경력을 자료화(책 출간)할 때 강력한 스펙이 된다!

종이책, 전자책
마케팅 1-2

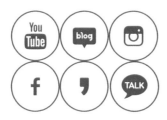

시행착오, 대가 지불, 인고의 시간을 거쳐 출간한 소중한 책이 홍보를 하지 않아 냄비 받침대가 되어가는 것을 보고만 있는 저자들이 90%다. 누군가는 sns라는 도구를 시간 때우는 도구로 사용하고 누군가는 자신 분야 마케팅 도구로 사용을 한다. 자신 sns을 활용해서 책 마케팅을 숨을 거두는 날까지 끊임없이 해야 한다. 알리지 않으면 죽은 거와 같다.

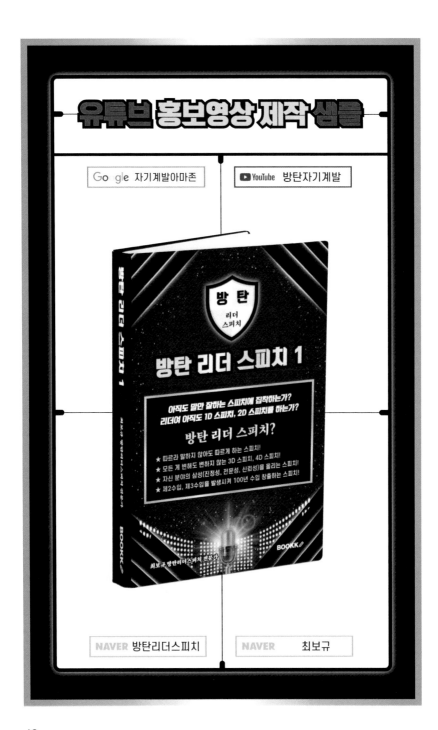

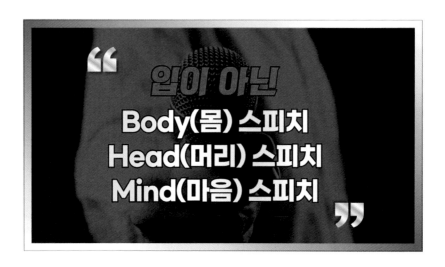

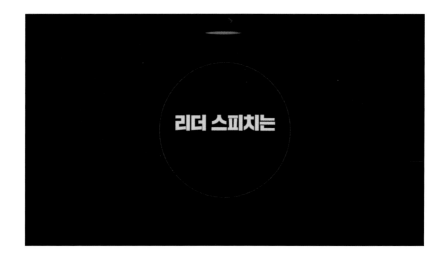

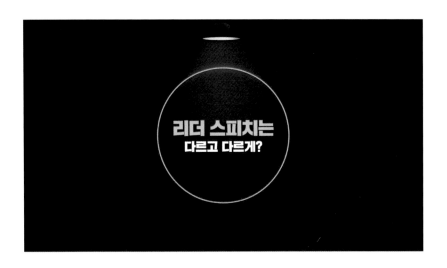

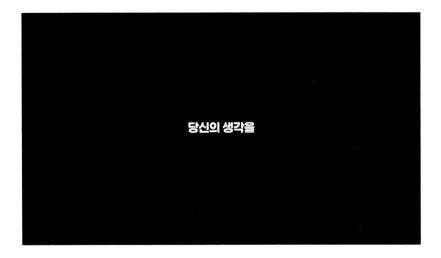

CHANGE

소통 스피치

발성   말 잘하는 방법   당당한 스피치

아나운서

최고 스피치   킹스 스피치   부정의문문

성공자 스피치

스피치 공식   명사

스피치 근육   스피치 PT

비전 스피치

말 말 말

열정 스피치   설득 방법

설득 공식

44

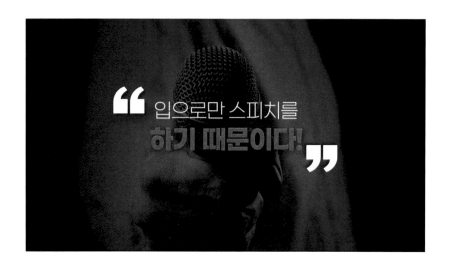

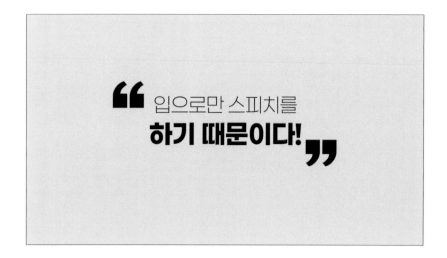

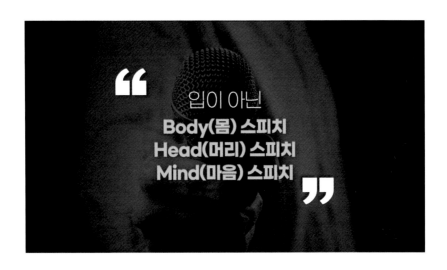

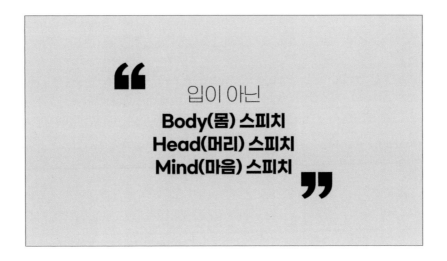

입이 아닌
Body(몸) 스피치
Head(머리) 스피치
Mind(마음) 스피치

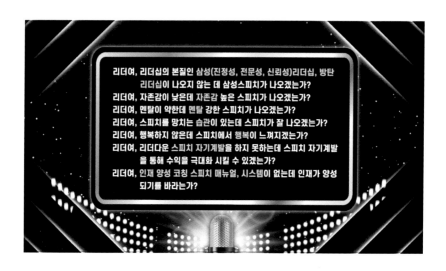

리더여, 리더십의 본질인 삼성(진정성, 전문성, 신뢰성)리더십, 방탄 리더십이 나오지 않는 데 삼성스피치가 나오겠는가?
리더여, 자존감이 낮은데 자존감 높은 스피치가 나오겠는가?
리더여, 멘탈이 약한데 멘탈 강한 스피치가 나오겠는가?
리더여, 스피치를 망치는 습관이 있는데 스피치가 잘 나오겠는가?
리더여, 행복하지 않은데 스피치에서 행복이 느껴지겠는가?
리더여, 리더다운 스피치 자기계발을 하지 못하는데 스피치 자기계발을 통해 수익을 극대화 시킬 수 있겠는가?
리더여, 인재 양성 코칭 스피치 매뉴얼, 시스템이 없는데 인재가 양성되기를 바라는가?

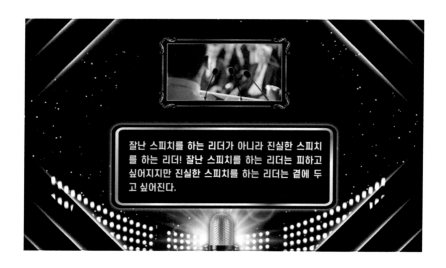

잘난 스피치를 하는 리더가 아니라 진실한 스피치를 하는 리더! 잘난 스피치를 하는 리더는 피하고 싶어지지만 진실한 스피치를 하는 리더는 곁에 두고 싶어진다.

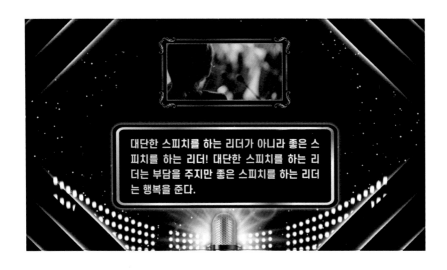

대단한 스피치를 하는 리더가 아니라 좋은 스피치를 하는 리더! 대단한 스피치를 하는 리더는 부담을 주지만 좋은 스피치를 하는 리더는 행복을 준다.

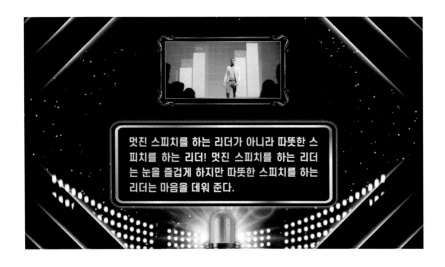

멋진 스피치를 하는 리더가 아니라 따뜻한 스피치를 하는 리더! 멋진 스피치를 하는 리더는 눈을 즐겁게 하지만 따뜻한 스피치를 하는 리더는 마음을 데워 준다.

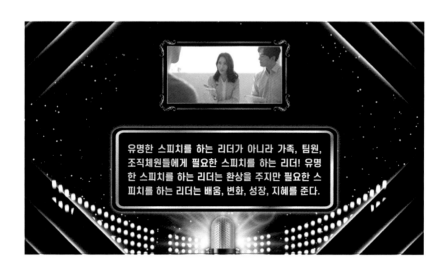

유명한 스피치를 하는 리더가 아니라 가족, 팀원, 조직체원들에게 필요한 스피치를 하는 리더! 유명한 스피치를 하는 리더는 환상을 주지만 필요한 스피치를 하는 리더는 배움, 변화, 성장, 지혜를 준다.

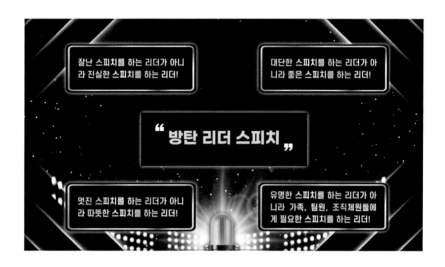

잘난 스피치를 하는 리더가 아니라 진실한 스피치를 하는 리더!

대단한 스피치를 하는 리더가 아니라 좋은 스피치를 하는 리더!

" 방탄 리더 스피치 "

멋진 스피치를 하는 리더가 아니라 따뜻한 스피치를 하는 리더!

유명한 스피치를 하는 리더가 아니라 가족, 팀원, 조직체원들에게 필요한 스피치를 하는 리더!

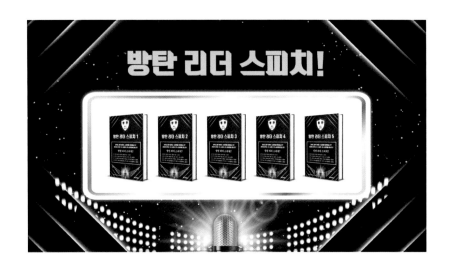

초이스

방탄 리더 스피치
초이스 진짜 잘했다

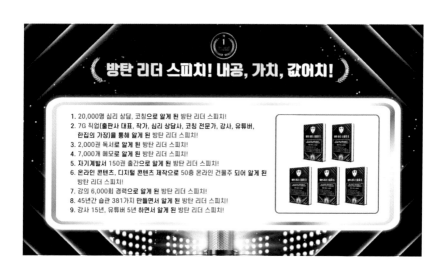

방탄 리더 스피치! 내공, 가치, 값어치!

1. 20,000명 심리 상담, 코칭으로 알게 된 방탄 리더 스피치!
2. 7G 직업(출판사 대표, 작가, 심리 상담사, 코칭 전문가, 강사, 유튜버, 한집의 가장)을 통해 알게 된 방탄 리더 스피치!
3. 2,000권 독서로 알게 된 방탄 리더 스피치!
4. 7,000개 메모로 알게 된 방탄 리더 스피치!
5. 자기계발서 150권 출간으로 알게 된 방탄 리더 스피치!
6. 온라인 콘텐츠, 디지털 콘텐츠 제작으로 50층 온라인 건물주 되어 알게 된 방탄 리더 스피치!
7. 강의 6,000회 경력으로 알게 된 방탄 리더 스피치!
8. 45년간 습관 381가지 만들면서 알게 된 방탄 리더 스피치!
9. 강사 15년, 유튜버 5년 하면서 알게 된 방탄 리더 스피치!

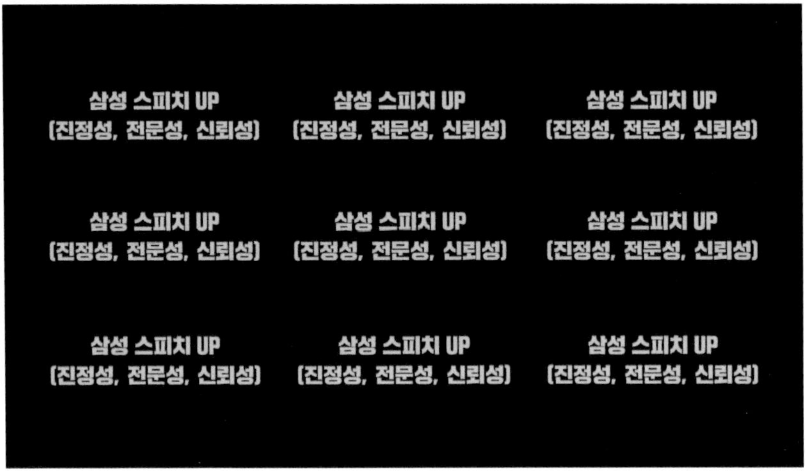

삼성 스피치 UP
(진정성, 전문성, 신뢰성)

삼성 스피치 UP
(진정성, 전문성, 신뢰성)

삼성 스피치 UP
(진정성, 전문성, 신뢰성)

삼성 스피치 UP
(진정성, 전문성, 신뢰성)

삼성 스피치 UP
(진정성, 전문성, 신뢰성)

삼성 스피치 UP
(진정성, 전문성, 신뢰성)

삼성 스피치 UP
(진정성, 전문성, 신뢰성)

삼성 스피치 UP
(진정성, 전문성, 신뢰성)

삼성 스피치 UP
(진정성, 전문성, 신뢰성)

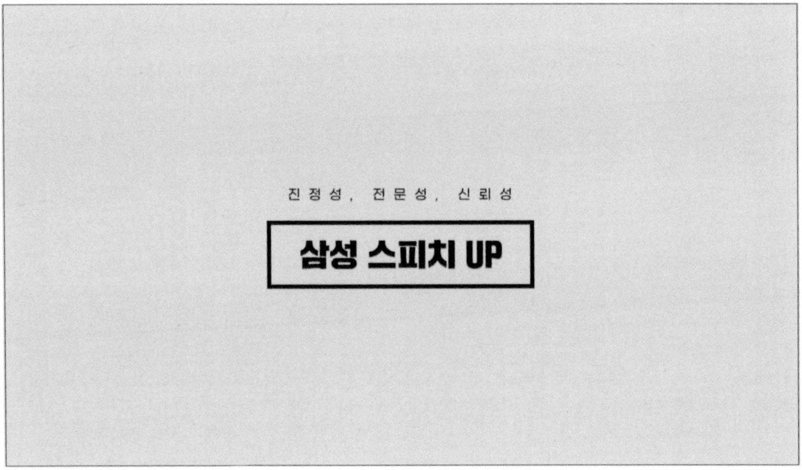

진 정 성 , 전 문 성 , 신 뢰 성

삼성 스피치 UP

스피치 자존감 UP 스피치 자존감 UP 스피치 자존감 UP

스피치 자존감 UP 스피치 자존감 UP 스피치 자존감 UP

스피치 자존감 UP 스피치 자존감 UP 스피치 자존감 UP

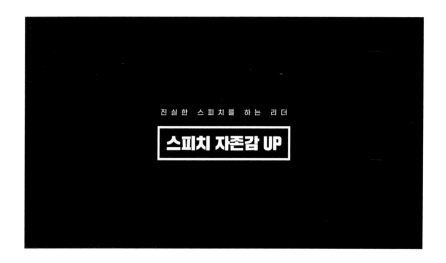

진실한 스피치를 하는 리더

스피치 자존감 UP

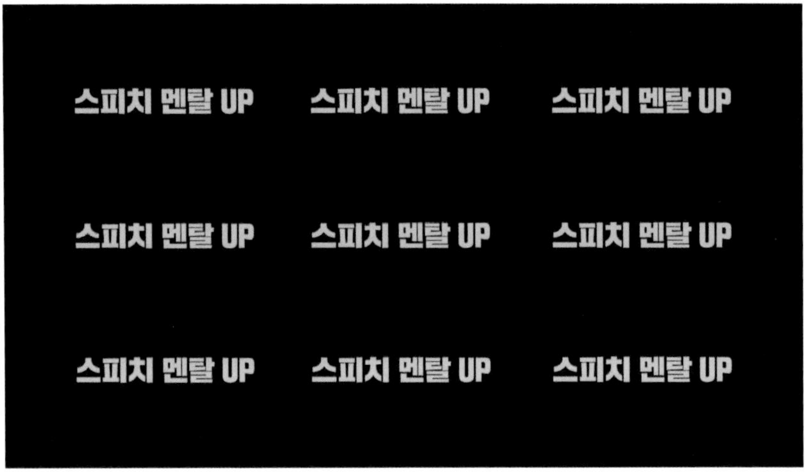

스피치 멘탈 UP　　스피치 멘탈 UP　　스피치 멘탈 UP

스피치 멘탈 UP　　스피치 멘탈 UP　　스피치 멘탈 UP

스피치 멘탈 UP　　스피치 멘탈 UP　　스피치 멘탈 UP

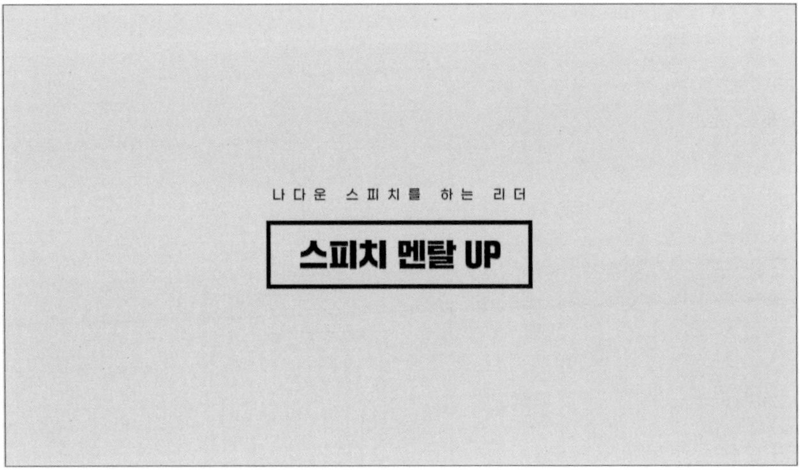

나 다 운 스 피 치 를 하 는 리 더

스피치 멘탈 UP

스피치 습관 UP   스피치 습관 UP   스피치 습관 UP

스피치 습관 UP   스피치 습관 UP   스피치 습관 UP

스피치 습관 UP   스피치 습관 UP   스피치 습관 UP

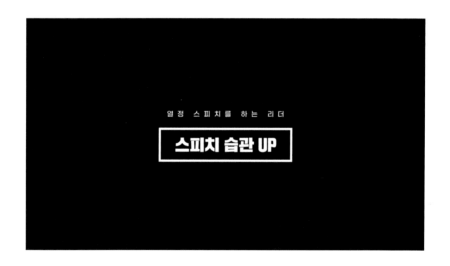

열 정 스 피 치 를 하 는 리 더

스피치 습관 UP

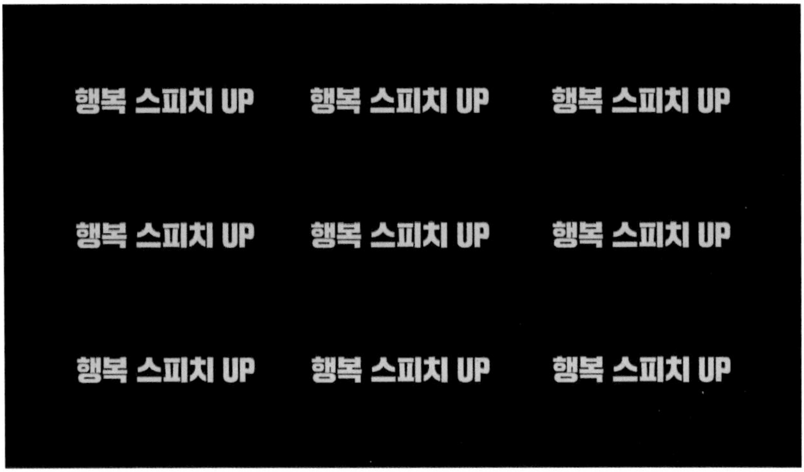

행복 스피치 UP　　행복 스피치 UP　　행복 스피치 UP

행복 스피치 UP　　행복 스피치 UP　　행복 스피치 UP

행복 스피치 UP　　행복 스피치 UP　　행복 스피치 UP

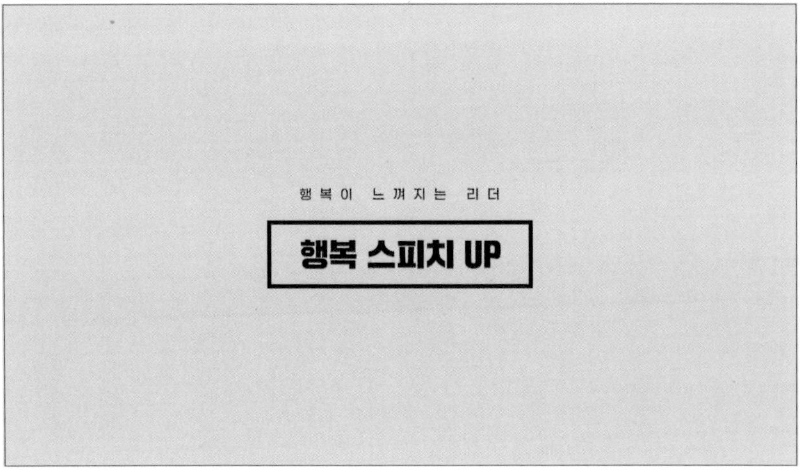

행복이 느껴지는 리더

행복 스피치 UP

스피치 자기계발 UP 스피치 자기계발 UP   스피치 자기계발 UP

스피치 자기계발 UP 스피치 자기계발 UP   스피치 자기계발 UP

스피치 자기계발 UP 스피치 자기계발 UP   스피치 자기계발 UP

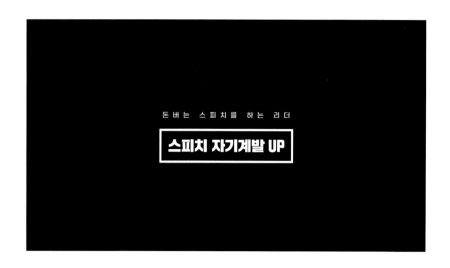

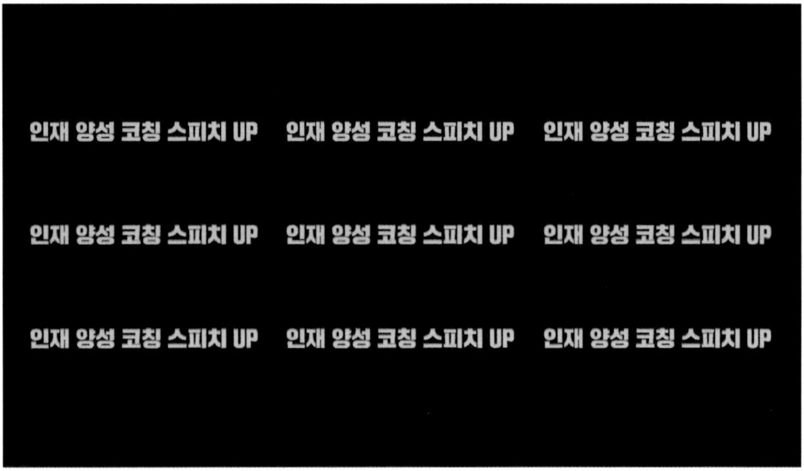
인재 양성 코칭 스피치 UP 인재 양성 코칭 스피치 UP 인재 양성 코칭 스피치 UP
인재 양성 코칭 스피치 UP 인재 양성 코칭 스피치 UP 인재 양성 코칭 스피치 UP
인재 양성 코칭 스피치 UP 인재 양성 코칭 스피치 UP 인재 양성 코칭 스피치 UP

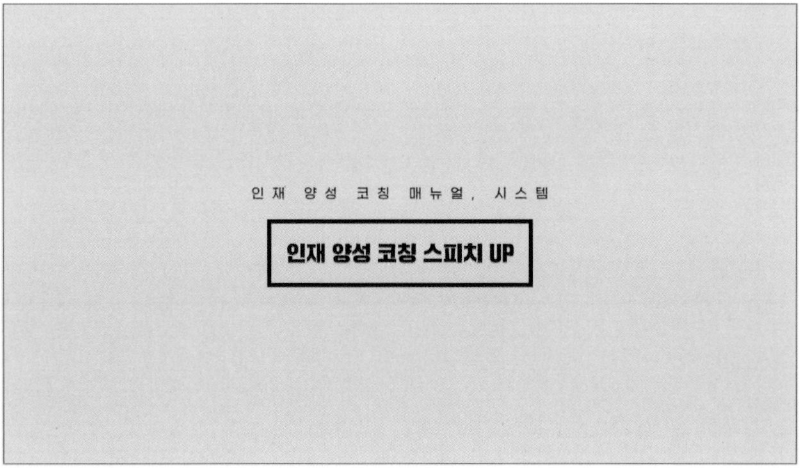
인재 양성 코칭 매뉴얼, 시스템
인재 양성 코칭 스피치 UP

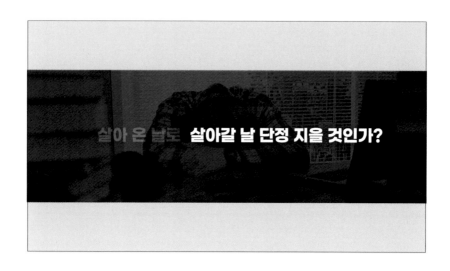

살아 온 날도 **살아갈 날 단정 지을 것인가?**

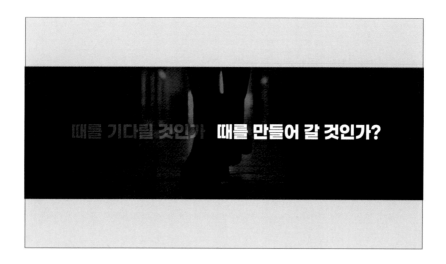

때를 기다릴 것인가 **때를 만들어 갈 것인가?**

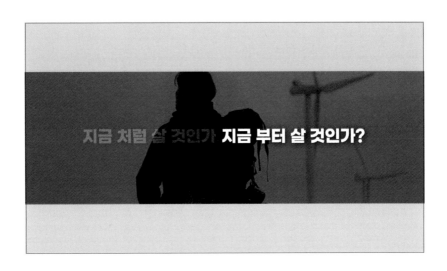

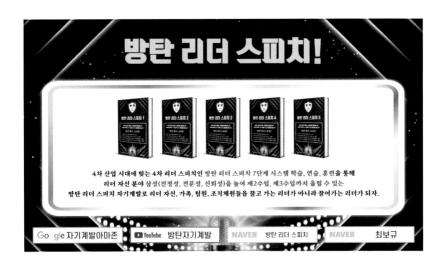

대한민국 99%가 책 쓰기, 출간하는 방법만
교육, 코칭 한다!
6가지 수입 창출 책 쓰기, 출간 기술력을
교육, 코칭 하는 곳은 방탄book출판사뿐이다.

방법만 배우면 돈이 계속 나가지만
방탄book기술력을 배우면
돈은 계속 들어온다.

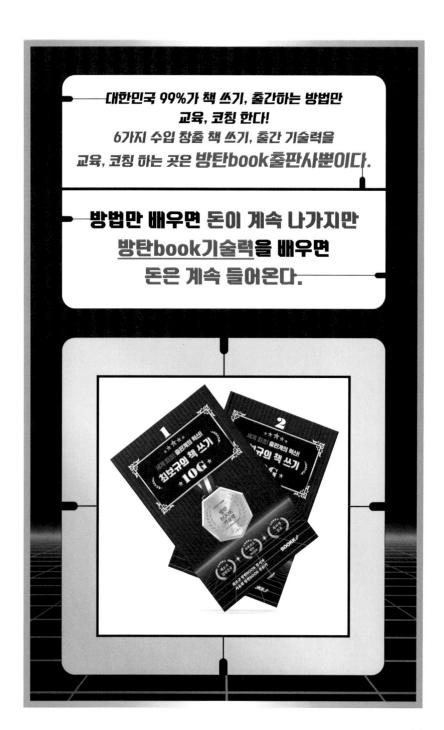

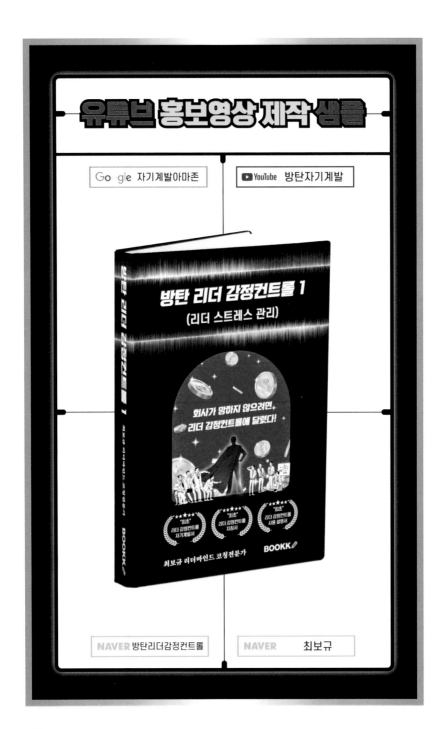

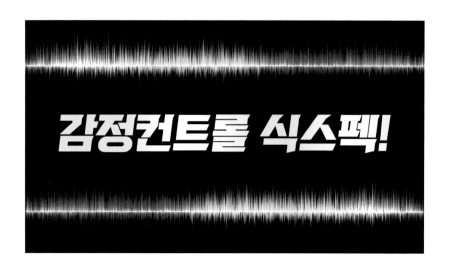

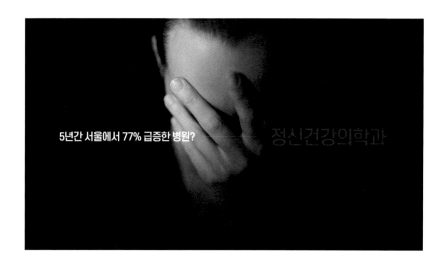

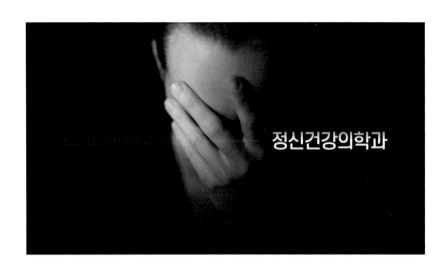

정신건강의학과

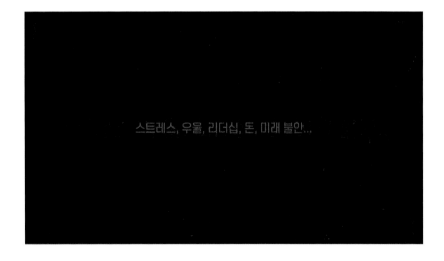

스트레스, 우울, 리더십, 돈, 미래 불안...

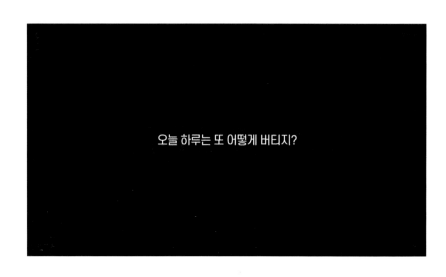

오늘 하루는 또 어떻게 버티지?

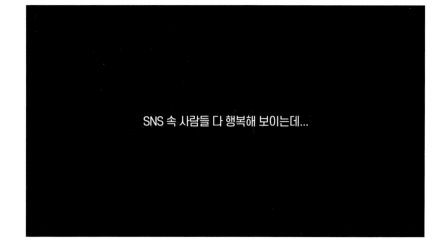

SNS 속 사람들 다 행복해 보이는데...

나만 힘들고 나만 불행 한거 같아...

리더다 보니 누구에게 하소연도 못하고...
힘들고 우울한 감정을 어떻게 컨트롤 할까?

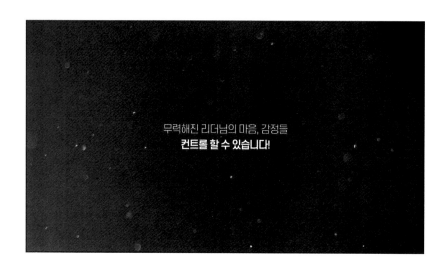

무력해진 리더님의 마음, 감정들
컨트롤 할 수 있습니다!

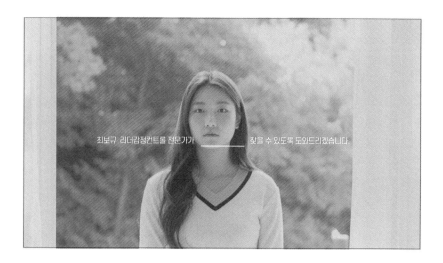

최보규 리더감정컨트롤 전문가가 _____ 찾을 수 있도록 도와드리겠습니다.

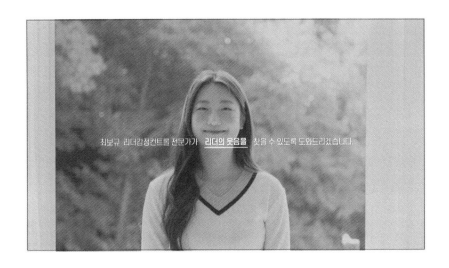

최보규 리더감정컨트롤 전문가가 **리더의 웃음을** 찾을 수 있도록 도와드리겠습니다.

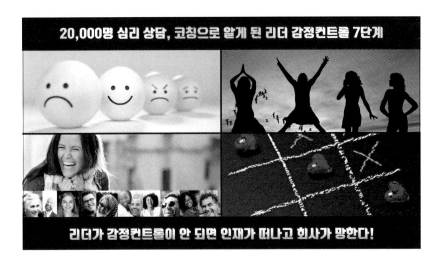

20,000명 심리 상담, 코칭으로 알게 된 리더 감정컨트롤 7단계

리더가 감정컨트롤이 안 되면 인재가 떠나고 회사가 망한다!

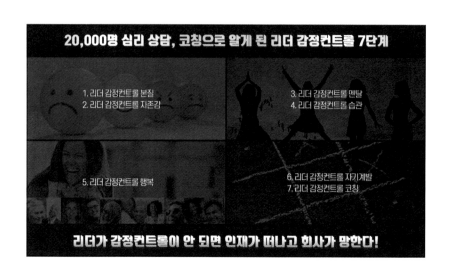

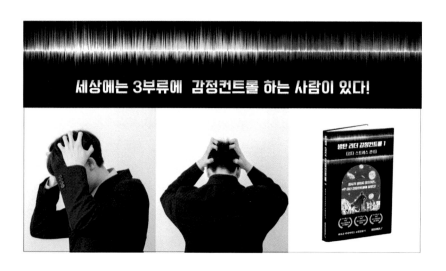

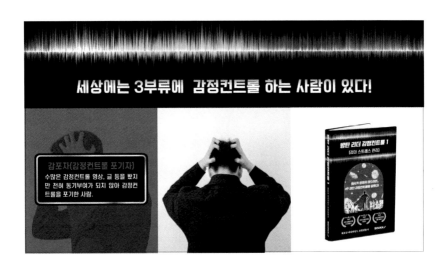

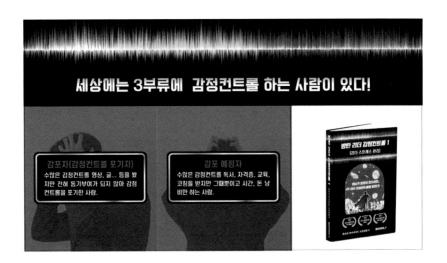

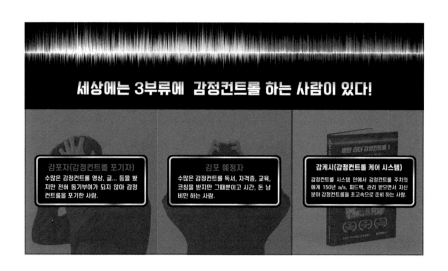

세상에는 3부류에 감정컨트롤 하는 사람이 있다!

감포자(감정컨트롤 포기자)
수많은 감정컨트롤 영상, 글... 등을 봤지만 전혀 동기부여가 되지 않아 감정컨트롤을 포기한 사람.

감포 예정자
수많은 감정컨트롤 독서, 자격증, 교육, 코칭을 받지만 그때뿐이고 시간, 돈 낭비만 하는 사람.

감케시(감정컨트롤 케어 시스템)
감정컨트롤 시스템 안에서 감정컨트롤 주치의에게 150년 a/s, 피드백, 관리 받으면서 자신 분야 감정컨트롤을 초고속으로 준비 하는 사람.

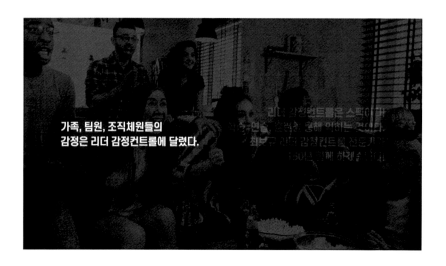

가족, 팀원, 조직체원들의
감정은 리더 감정컨트롤에 달렸다.

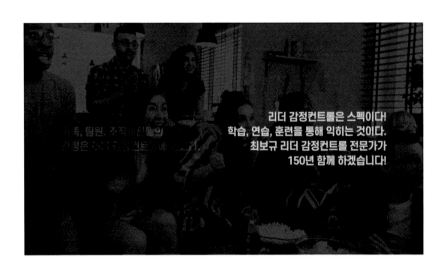

리더 감정컨트롤은 스펙이다!
학습, 연습, 훈련을 통해 익히는 것이다.
최보규 리더 감정컨트롤 전문가가
150년 함께 하겠습니다!

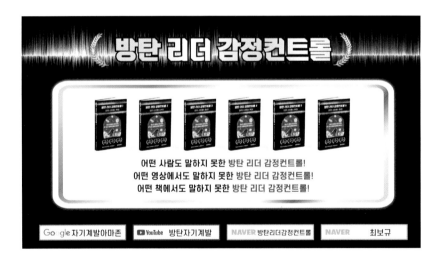

대한민국 99%가 책 쓰기, 출간하는 방법만
교육, 코칭 한다!
6가지 수입 창출 책 쓰기, 출간 기술력을
교육, 코칭 하는 곳은 방탄book출판사뿐이다.

방법만 배우면 평생
몸을 움직여서 돈을 벌어야 하지만
방탄book기술력을 배우면 움직이지
않아도 돈을 벌수 있는 자동 시스템을 만든다.

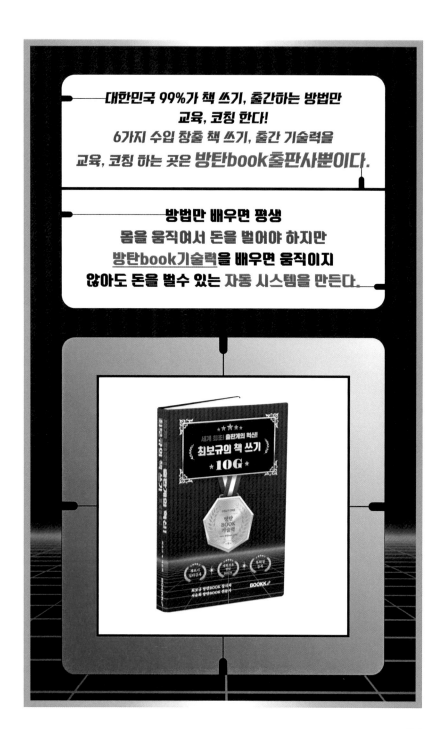

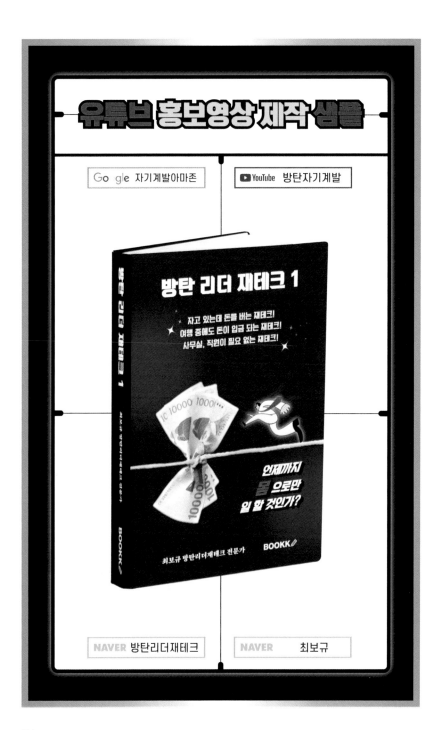

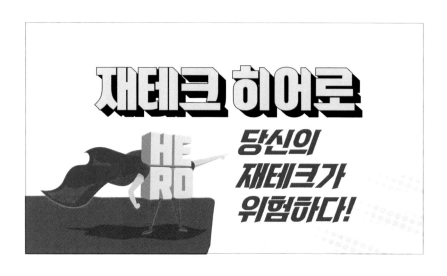

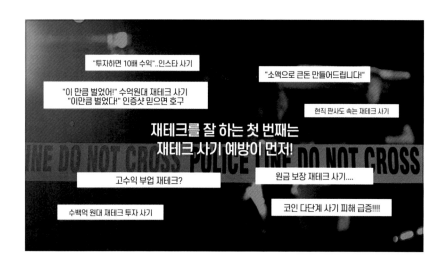

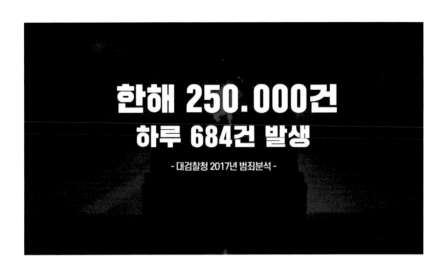

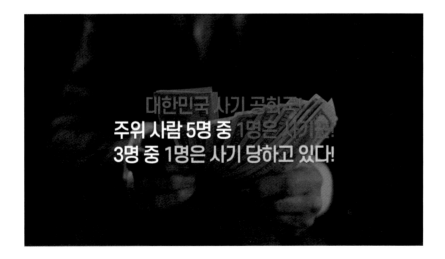

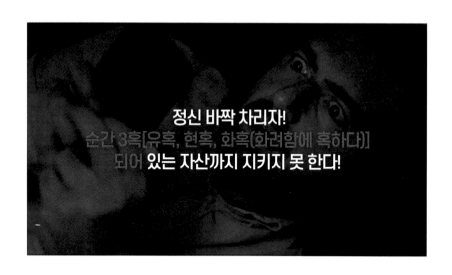

정신 바짝 차리자!
순간 3혹[유혹, 현혹, 화혹(화려함에 혹하다)]
되어 있는 자산까지 지키지 못 한다!

집중!
20,000명 심리 상담, 코칭을 통해 알게 된

재테크 사기 예방법과
세상에서 가장 리스크 적은 재테크
세상에서 가장 안전한 재테크를 소개한다!

01
재테크 사기 예방!

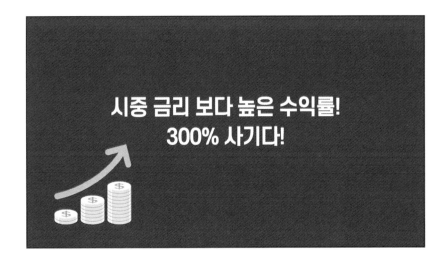

02
재테크 사기 예방!

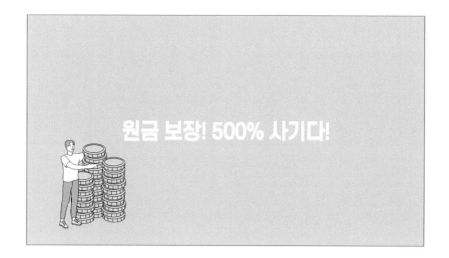

원금 보장! 500% 사기다!

03
재테크 사기 예방!

수입 인증 사진! 1,000% 사기다!
수입 인증 사진이 다 사기는 아니지만
사기꾼들은 100% 수입 인증을 한다!

04
재테크 사기 예방!

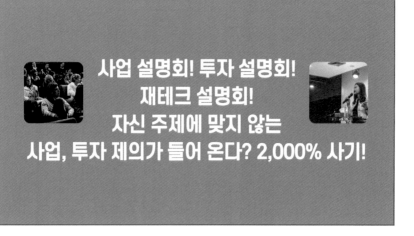

사업 설명회! 투자 설명회!
재테크 설명회!
자신 주제에 맞지 않는
사업, 투자 제의가 들어 온다? 2,000% 사기!

05
재테크 사기 예방!

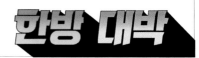

한방, 대박, 단기간에... 돈 번다!
가족, 지인, 친구... 믿음이 있는
사람들이 투자 권유... 권유 하는 사람도
사기 당하고 있다는 것을 모른다!

재테크 사기가 판을 치는 상황에서
재테크 사기로 부터 자산을 지키고
도대체 어떤 재테크를 해야 하는가?

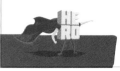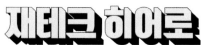

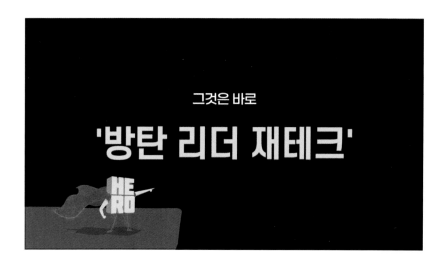

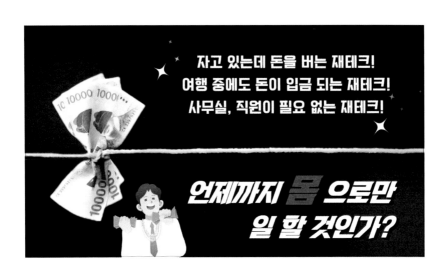

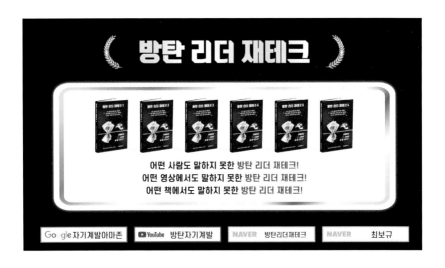

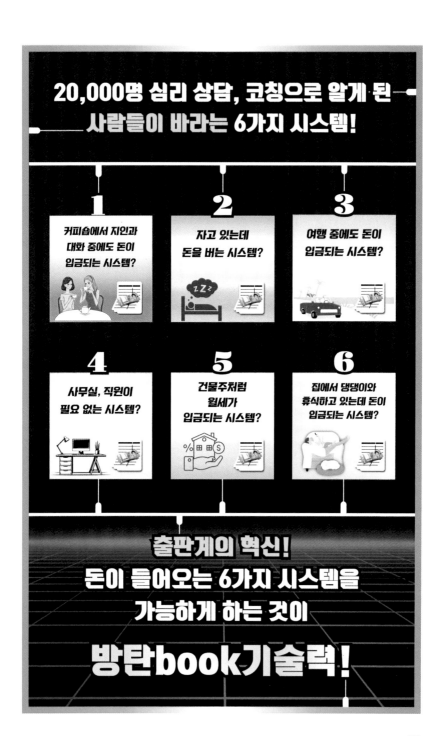

평균 희망 은퇴 73세, 현실 은퇴 나이 49세!
100세 시대 언제까지 몸(노동)으로만
일해서 돈을 벌 것인가?

세상, 현실 기준에서 스펙, 돈, 인맥, 자산 등이
없어서 100세까지 노동을 해야 되고 몸까지 아
프면 더 답이 없는 상황! 젊을 때는 100가지 중
99가지를 할 수 있지만 나이 들면 100가지 중
99가지를 할 수 없다. 3고 시대, AI 시대, 챗
GPT 시대에 자신의 직업이 사라 질 수 있는 상황
에서 어떻게 준비, 대비할 것인가?

 방탄BOOK기술력
선택이 아닌 필수!

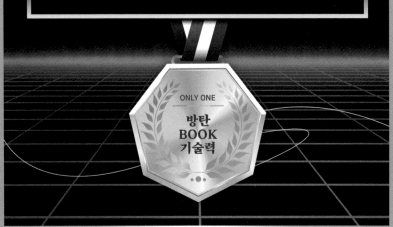

ONLY ONE
방탄
BOOK
기술력

한 분야 전문성으로 힘든 시대다. 이제는 포트폴리오 커리어 시대다. (포트폴리오 커리어: 한 분야 전문성 외 다수에 전문성이 있는 사람) 자신 경력을 왜 썩히고 있는가! 자신 경력을 활용해서 6가지 수입을 발생시킬 수 있는 방탄book기술력! 언제까지 몸(노동)으로 일할 것인가? 자신 경력이 일하게 하자! 자신 콘텐츠가 일하게 하자! 시스템이 일하게 하자!

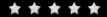

직장은 자신 인생을 책임져 주지 않지만
방탄book기술력은 자신 인생을 책임져 준다.
직장은 자신을 배신하지만
방탄book기술력은 자신을 배신하지 않는다.

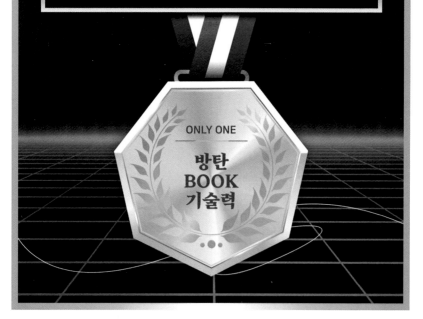

ONLY ONE

방탄
BOOK
기술력

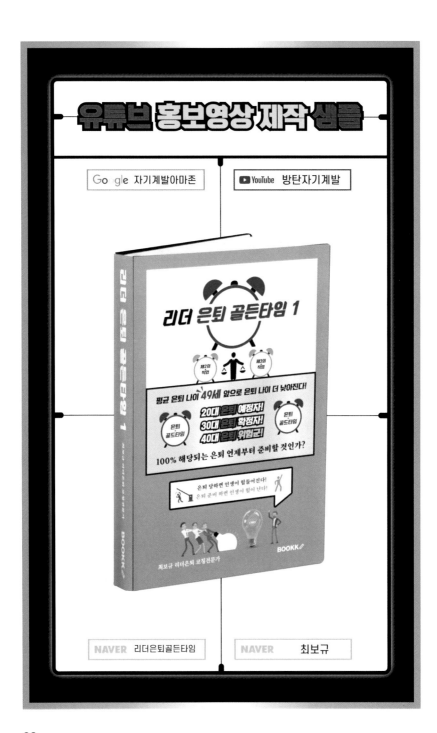

3 고시대
생활백서

지금 당근이 필요한가? 채찍이 필요한가?

사람에 치이고 **일**에 치이고 직장이 인생 책임져 주지 않는다!
언제까지 다녀야 되고 언제까지 다닐지 모르는 현실!

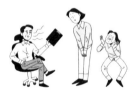

<통계청> 평균 은퇴 나이 49세 은퇴 나이 더 낮아진다!
20대 은퇴 예정자? 30대 은퇴 확정자? 40대 은퇴 위험군?

나이와 상관없이 100% 해당되는 은퇴 현실!

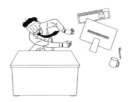

무언가 해야 될 거 같은데? 무엇을 어떻게 해야 되지?

누가 정답을 알려주면 좋겠다고 생각할때

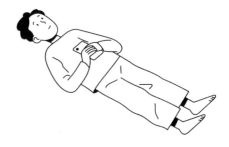

작은 도움이 되기를 바라며 이 영상을 전합니다

리더 은퇴 골든타임

01

직장인이 아닌 직업인이 되어야 한다!

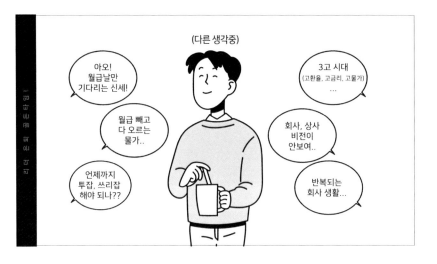

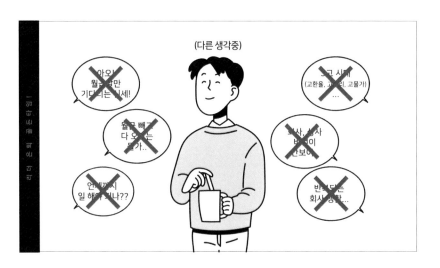

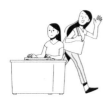

일 끝나고
기술력 연마!

직장은 자신을 배신하지만
직업(기술력)은 배신하지 않는다.
직장을 다니는 환경 속에서 자신이 할 수 있는
직업(기술력)을 연마하기 위한 환경으로 들어가야 한다.

02
자신 분야와 연결시킬 수 있는 직업(기술력)

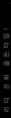

시간은 금이고 자신 경력은 다이아몬드다!
자신 분야 경력을 최대한 살릴 수 있는
기술력을 연결 시켜야 한다!

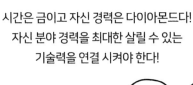

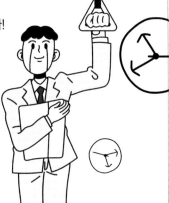

자신 분야 경력, 직장을
어떻게 하면? 직업과 연결 할 수 있을까?

94

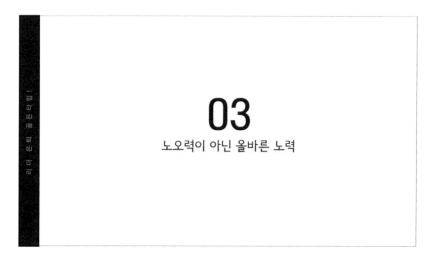

03

노오력이 아닌 올바른 노력

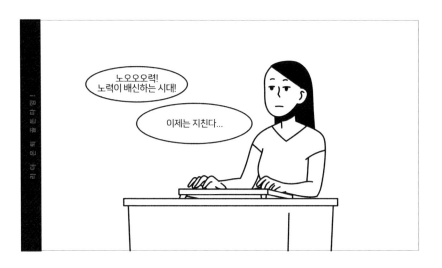

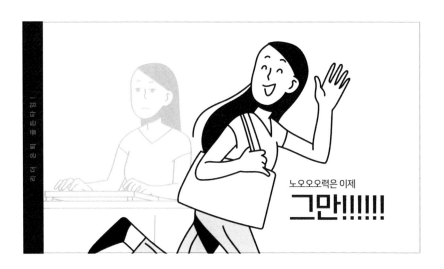

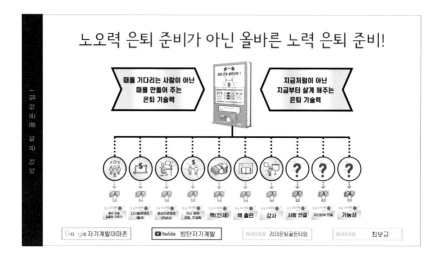

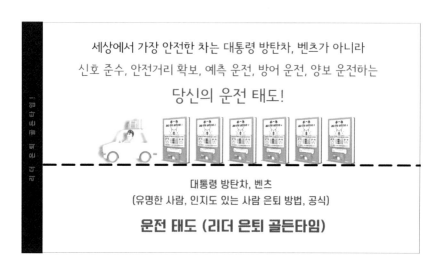

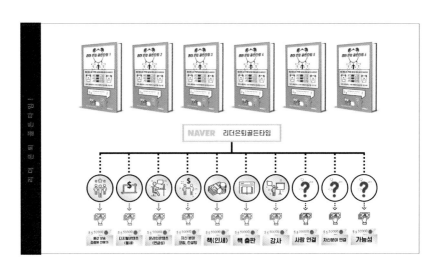

어떻게 하면 할 수 있을까?
까짓것 한번 해보자! 일단 시작하자!
못하면 좀 어때 도전!

제대로 한번 해보고 싶으신 분을
위해 준비했습니다!

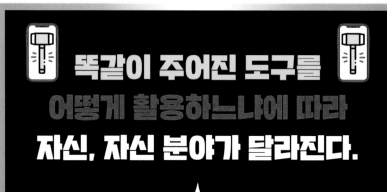

똑같이 주어진 도구를
어떻게 활용하느냐에 따라
자신, 자신 분야가 달라진다.

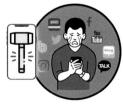

시간 때우는 도구!
SNS에 올라오는 쇼윈도 행복을 보고
상대적 불행으로
자존감, 멘탈 배터리 방전되어
불만, 시기, 질투, 우울

▐▐ ▶▌ 6:52/21:00 🔊 ⚙ HD 〔 〕

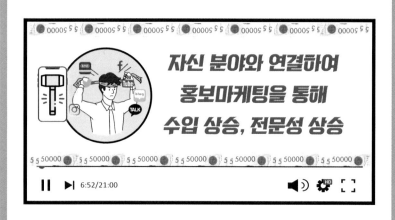

자신 분야와 연결하여
홍보마케팅을 통해
수입 상승, 전문성 상승

▐▐ ▶▌ 6:52/21:00 🔊 ⚙ HD 〔 〕

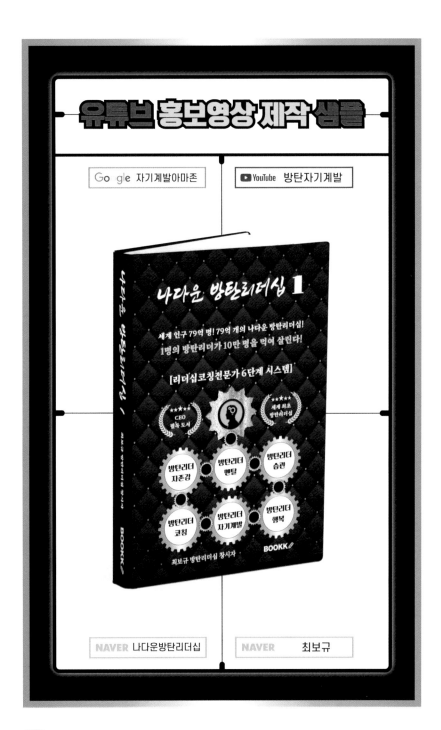

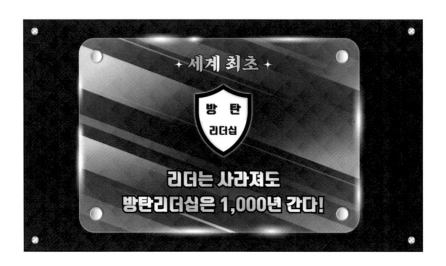

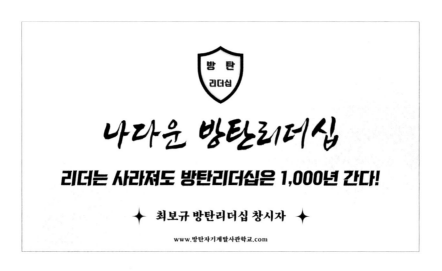

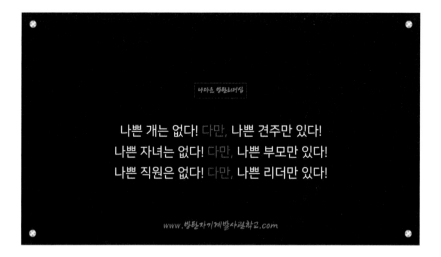

리더 1명이 10만 명을 변질시킨다.

방탄리더 1명이 10만 명을 변화시킨다.

www.방탄자기계발사관학교.com

나쁜 개는 없다! 다만, 나쁜 견주만 있다!
나쁜 자녀는 없다! 다만, 나쁜 부모만 있다!
나쁜 직원은 없다! 다만, 나쁜 리더만 있다!

www.방탄자기계발사관학교.com

견주십, 부모십, 리더십, 사랑십, 인간관계십, 친구십...등
모든 십의 기본(자동차 연료)은
자존감, 멘탈, 습관, 행복, 자기계발이 받쳐주지 않으면 안 된다.

www.방탄자기계발사관학교.com

위치가 사람을 만든다?
단언컨대! 나잇값, 위치값, 리더값을 하기 위해
학습, 연습, 훈련 하지 않으면 위치가 사람을 망친다!

www.방탄자기계발사관학교.com

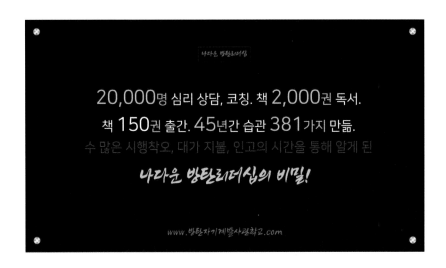

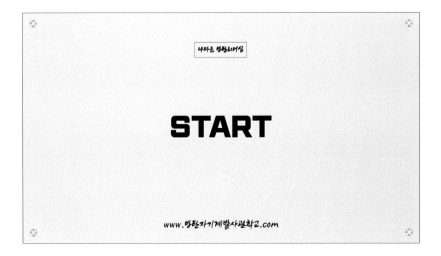

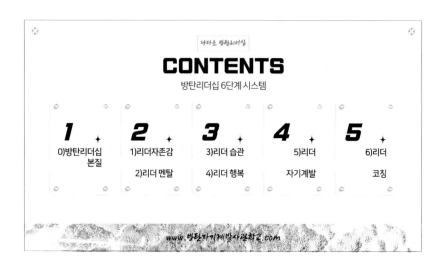

CONTENTS
방탄리더십 6단계 시스템

www.방탄자기계발사관학교.com

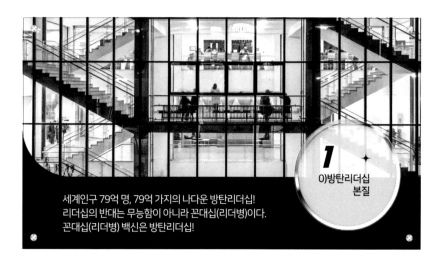

세계인구 79억 명, 79억 가지의 나다운 방탄리더십!
리더십의 반대는 무능함이 아니라 꼰대십(리더병)이다.
꼰대십(리더병) 백신은 방탄리더십!

1 0)방탄리더십 본질

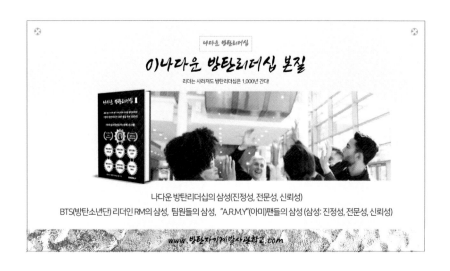

나다운 방탄리더십

0) 나다운 방탄리더십 본질

리더는 사라져도 방탄리더십은 1,000년 간다!

나다운 방탄리더십의 삼성(진정성, 전문성, 신뢰성)
BTS(방탄소년단) 리더인 RM의 삼성, 팀원들의 삼성, "A.R.M.Y"(아미)팬들의 삼성 (삼성: 진정성, 전문성, 신뢰성)

www.방탄자기계발사관학교.com

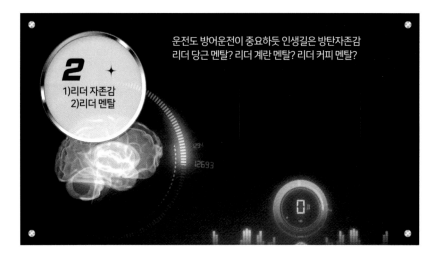

운전도 방어운전이 중요하듯 인생길은 방탄자존감
리더 당근 멘탈? 리더 계란 멘탈? 리더 커피 멘탈?

2

1) 리더 자존감
2) 리더 멘탈

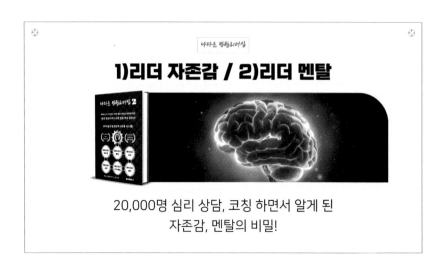

1)리더 자존감 / 2)리더 멘탈

20,000명 심리 상담, 코칭 하면서 알게 된
자존감, 멘탈의 비밀!

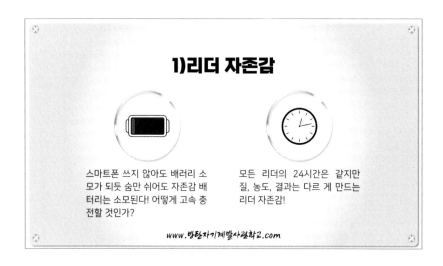

1)리더 자존감

스마트폰 쓰지 않아도 배러리 소
모가 되듯 숨만 쉬어도 자존감 배
터리는 소모된다! 어떻게 고속 충
전할 것인가?

모든 리더의 24시간은 같지만
질, 농도, 결과는 다르 게 만드는
리더 자존감!

www.방탄자기계발사관학교.com

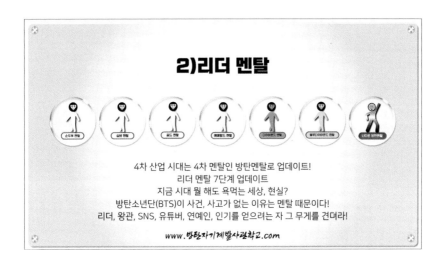

2)리더 멘탈

4차 산업 시대는 4차 멘탈인 방탄멘탈로 업데이트!
리더 멘탈 7단계 업데이트
지금 시대 뭘 해도 욕먹는 세상, 현실?
방탄소년단(BTS)이 사건, 사고가 없는 이유는 멘탈 때문이다!
리더, 왕관, SNS, 유튜버, 연예인, 인기를 얻으려는 자 그 무게를 견뎌라!

www.방탄자기계발사관학교.com

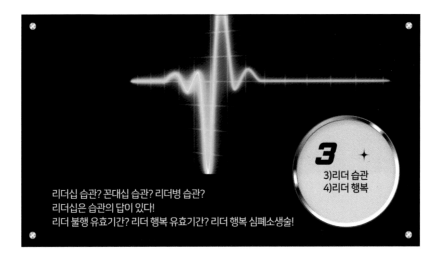

3

3)리더 습관
4)리더 행복

리더십 습관? 꼰대십 습관? 리더병 습관?
리더십은 습관의 답이 있다!
리더 불행 유효기간? 리더 행복 유효기간? 리더 행복 심폐소생술!

3)리더 습관

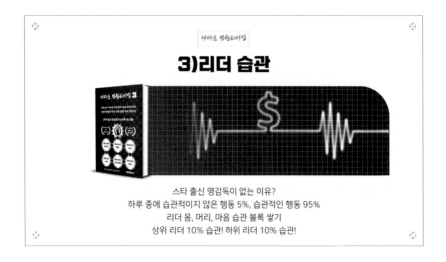

스타 출신 명감독이 없는 이유?
하루 중에 습관적이지 않은 행동 5%, 습관적인 행동 95%
리더 몸, 머리, 마음 습관 블록 쌓기
상위 리더 10% 습관! 하위 리더 10% 습관!

4)리더 행복

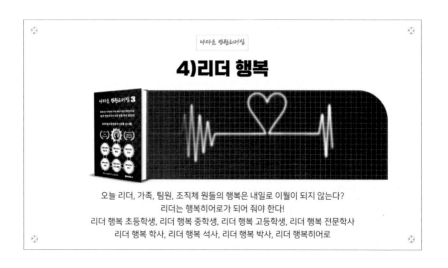

오늘 리더, 가족, 팀원, 조직체 원들의 행복은 내일로 이월이 되지 않는다?
리더는 행복히어로가 되어 줘야 한다!
리더 행복 초등학생, 리더 행복 중학생, 리더 행복 고등학생, 리더 행복 전문학사
리더 행복 학사, 리더 행복 석사, 리더 행복 박사, 리더 행복히어로

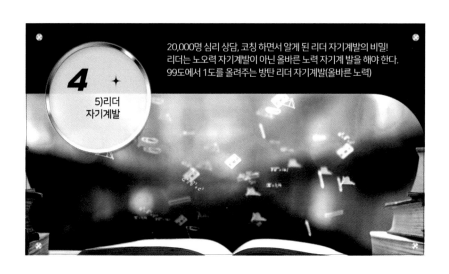

20,000명 심리 상담, 코칭 하면서 알게 된 리더 자기계발의 비밀!
리더는 노오력 자기계발이 아닌 올바른 노력 자기계 발을 해야 한다.
99도에서 1도를 올려주는 방탄 리더 자기계발(올바른 노력)

4

5)리더
자기계발

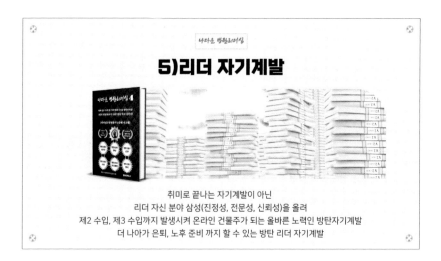

5)리더 자기계발

취미로 끝나는 자기계발이 아닌
리더 자신 분야 삼성(진정성, 전문성, 신뢰성)을 올려
제2 수입, 제3 수입까지 발생시켜 온라인 건물주가 되는 올바른 노력인 방탄자기계발
더 나아가 은퇴, 노후 준비 까지 할 수 있는 방탄 리더 자기계발

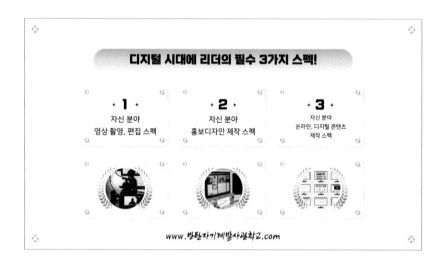

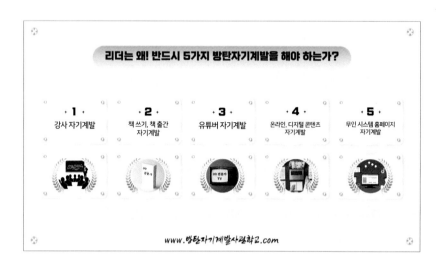

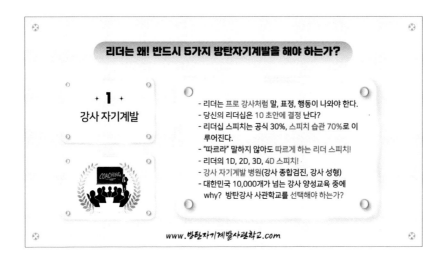

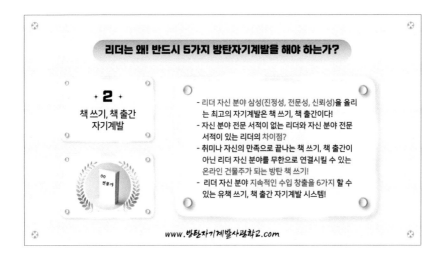

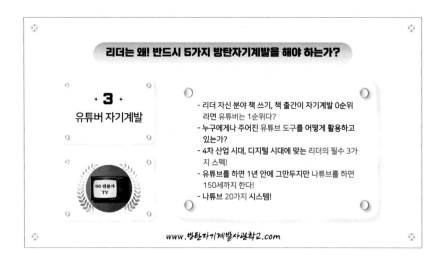

리더는 왜! 반드시 5가지 방탄자기계발을 해야 하는가?

+ 3 +
유튜버 자기계발

- 리더 자신 분야 책 쓰기, 책 출간이 자기계발 0순위 라면 유튜버는 1순위다?
- 누구에게나 주어진 유튜브 도구를 어떻게 활용하고 있는가?
- 4차 산업 시대, 디지털 시대에 맞는 리더의 필수 3가 지 스펙!
- 유튜브를 하면 1년 안에 그만두지만 나튜브를 하면 150세까지 한다!
- 나튜브 20가지 시스템!

www.방탄자기계발사관학교.com

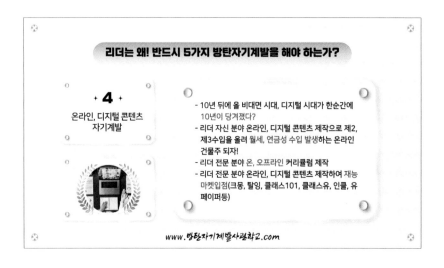

리더는 왜! 반드시 5가지 방탄자기계발을 해야 하는가?

+ 4 +
온라인, 디지털 콘텐츠
자기계발

- 10년 뒤에 올 비대면 시대, 디지털 시대가 한순간에 10년이 당겨졌다?
- 리더 자신 분야 온라인, 디지털 콘텐츠 제작으로 제2, 제3수입을 올려 월세, 연금성 수입 발생하는 온라인 건물주 되자!
- 리더 전문 분야 온, 오프라인 커리큘럼 제작
- 리더 전문 분야 온라인, 디지털 콘텐츠 제작하여 재능 마켓입점(크몽, 탈잉, 클래스101, 클래스유, 인클, 유 페이퍼등)

www.방탄자기계발사관학교.com

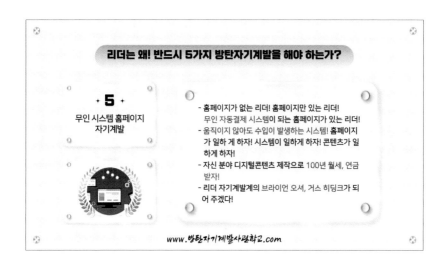

리더는 왜! 반드시 5가지 방탄자기계발을 해야 하는가?

+ 5 +

무인 시스템 홈페이지
자기계발

- 홈페이지가 없는 리더! 홈페이지만 있는 리더!
  무인 자동결제 시스템이 되는 **홈페이지**가 있는 리더!
- 움직이지 않아도 수입이 발생하는 시스템! **홈페이지**
  가 일하게 하자! 시스템이 일하게 하자! 콘텐츠가 일
  하게 하자!
- 자신 분야 디지털콘텐츠 제작으로 100년 월세, 연금
  받자!
- 리더 자기계발계의 브라이언 오셔, 거스 히딩크가 되
  어 주겠다!

www.방탄자기계발사관학교.com

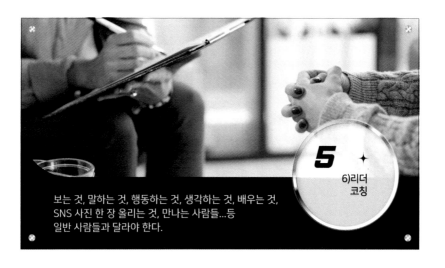

5 +

6)리더
코칭

보는 것, 말하는 것, 행동하는 것, 생각하는 것, 배우는 것,
SNS 사진 한 장 올리는 것, 만나는 사람들...등
일반 사람들과 달라야 한다.

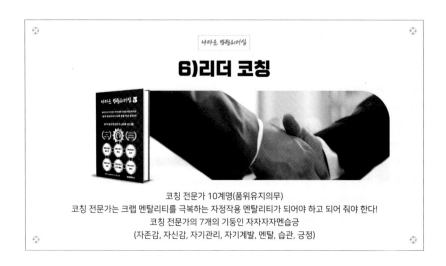

6)리더 코칭

코칭 전문가 10계명(품위유지의무)
코칭 전문가는 크랩 멘탈리티를 극복하는 자정작용 멘탈리티가 되어야 하고 되어 줘야 한다!
코칭 전문가의 7개의 기둥인 자자자자멘습긍
(자존감, 자신감, 자기관리, 자기계발, 멘탈, 습관, 긍정)

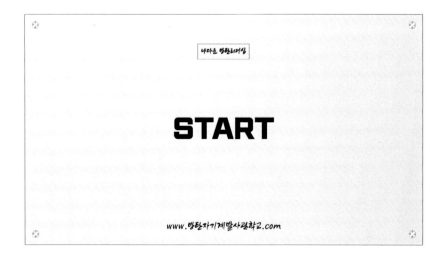

START

www.방탄자기계발사관학교.com

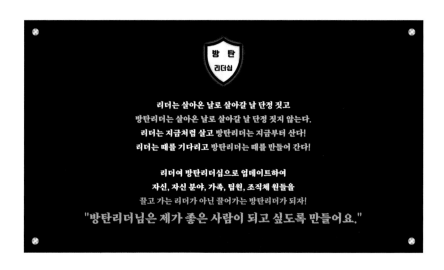

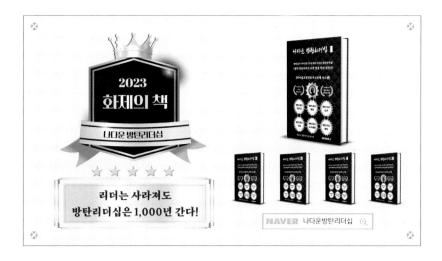

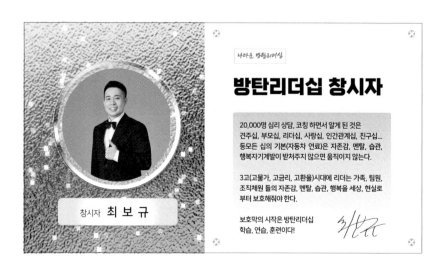

방탄리더십 창시자

20,000명 심리 상담, 코칭 하면서 알게 된 것은
견주십, 부모십, 리더십, 사랑십, 인간관계십, 친구십...
등모든 십의 기본(자동차 연료)은 자존감, 멘탈, 습관,
행복자기계발이 받쳐주지 않으면 움직이지 않는다.

3고(고물가, 고금리, 고환율)시대에 리더는 가족, 팀원,
조직체원 들의 자존감, 멘탈, 습관, 행복을 세상, 현실로
부터 보호해줘야 한다.

보호막의 시작은 방탄리더십
학습, 연습, 훈련이다!

창시자 **최 보 규**

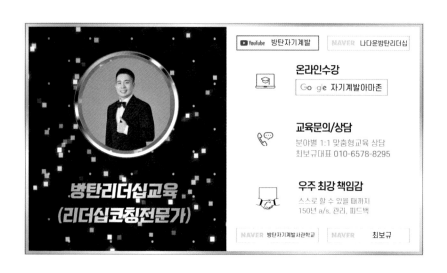

▶ YouTube 방탄자기계발　　NAVER 나다운방탄리더십

온라인수강
Google 자기계발아마존

교육문의/상담
분야별 1:1 맞춤형교육 상담
최보규대표 010-6578-8295

우주 최강 책임감
스스로 할 수 있을 때까지
150년 a/s. 관리, 피드백

방탄리더십교육
(리더십코칭전문가)

NAVER 방탄자기계발사관학교　　NAVER 최보규

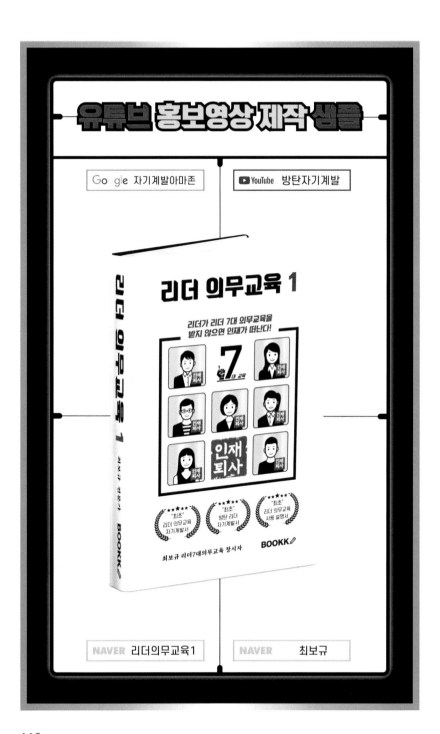

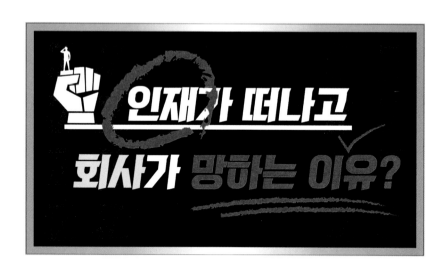

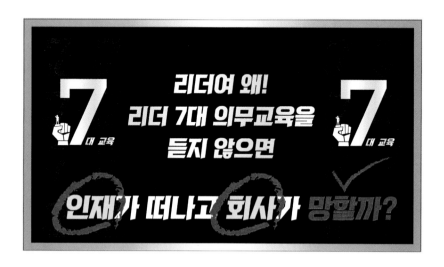

5대 법정의무교육 을 받지 않으면 500만 원 과태료
5억 원 이하의 과징금이 부과 된다!

리더 7대 의무교육 을 받지 않으면
인재가 떠나고 회사가 망한다!

20,000명 심리 상담, 코칭으로 알게 된
리더가 7대 의무교육을 받지 않으면
인재가 떠나고 회사가

망하는 7가지 이유!

스마트폰 가지고만 있어도 배터리가 소모되듯 리더십 배터리도 슴만 쉬어도 소모가 되기에 꾸준한 리더십 충전(리더 7대 의무교육)이 필요하다. 대한민국 최초 리더 7대 의무교육은 방탄자기계발사관학교에서 초고속 충전하고 인재를 양성하며 관리 할 수 있다.

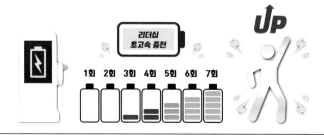

20,000명 심리 상담, 코칭으로 알게 된 리더가 7대 의무교육을 받지 않으면 인재가 떠나고 회사가 망하는 7가지 이유!

방탄리더십(삼성리더십) 의무교육을 받지 않은 리더. ※삼성리더십: 진정성, 전문성, 신뢰성

방탄리더십의 본질은 삼성리더십이다. 리더의 가장 기본은 진정성, 전문성, 신뢰성이 리더십으로 나와야 한다. 파레토 법칙!(80:20법칙)
조직체원들중 인재 20%, 직원 80% 상황에서 리더가 삼성리더십이 나오지 않으면 직원 80%는 동요되지 않지만 인재 20%는 떠나간다. 인재 20%는 철저하게 리더의 삼성을 본다는 것이다. 리더가 삼성이 없다면 회사가 삼성이 없는 것과 같다. 리더에게 방탄리더십(삼성리더십)이 가장 중요한 것이다.

20,000명 심리 상담, 코칭으로 알게 된 리더가 7대 의무교육을
받지 않으면 인재가 떠나고 회사가 망하는 7가지 이유!

방탄 리더 자존감 의무교육을 받지 않은 리더.

자존감이 무엇인가? 자아존중감이다. 단순히 말을 하면 자신을 얼마만큼 사랑하는지 알
게 해주는 것이 자존감이다. 자존감이 높은 리더는 자신을 사랑하기에 조직체원들을 존
중, 인정, 배려로 대하지만 자존감이 낮은 리더들은 자신을 사랑하는 것이 부족해서 조직
체원들에게 존중, 인정 배려가 나오질 않아서 갑질, 오너리스크가 생기는 것이다. 인재들
은 자존감이 높다. 그래서 자존감이 낮으면 인재가 가장 먼저 알아차리고 떠난다.

20,000명 심리 상담, 코칭으로 알게 된 리더가 7대 의무교육을
받지 않으면 인재가 떠나고 회사가 망하는 7가지 이유!

방탄 리더 멘탈 의무교육을 받지 않은 리더.

멘탈이 낮으면 콤플렉스, 열등감, 자격지심이 많아서 말투, 표정, 행동에서 나온다. 멘탈이
낮은 리더는 안 좋은 상황, 위급한 상황이 닥쳤을 때 상황대처 능력이 떨어져서 우왕좌왕
한다. 리더의 우왕좌왕 하는 모습들이 누적이 되면 인재는 떠난다. 인재들은 멘탈이 높다.
인재라고 생각이 드는 직원이 있다면 멘탈 약한 모습을 보여 주어서는 안 된다. 평상시에
멘탈 학습, 연습, 훈련을 꾸준히 해야 한다.

20,000명 심리 상담, 코칭으로 알게 된 리더가 7대 의무교육을
받지 않으면 인재가 떠나고 회사가 망하는 7가지 이유!

4대

방탄 리더 습관 의무교육 받지 않은 리더.

단호하고 냉정하지 못하는 습관. 거절 잘 못하는 습관. 귀가 얇은 습관. 결정 장애 습관. 감정 기복이 심한 습관. 한
방, 대박을 바라는 습관. 모든 것을 돈돈돈돈으로 보는 습관. 말할 때마다 돈돈돈돈으로 시작해서 돈으로 끝나
는 습관. 돈에 집착하는 습관. 하는 행동이 만만하게 보이는 습관. 시기, 질투, 불만 습관 조금만 잘해줘도 간, 쓸개
다 빼주려는 습관. 오지랖이 많은 습관. 자기 관리를 하지 않는 습관. 자기계발을 하지 않는 습관. 너무 착하게만
행동하는 습관...
많은 것이 있지만 한마디로 정리를 하면 조직체원들이 봤을 때 "우와! 우리 리더의 습관을 보면 내가 좋은 직원이
되고 싶도록 만들어"라는 마음을 들게 해야 하는데 안 좋은 습관들이 많으면 "우리 리더의 습관을 보면 내일이라
도 당장 퇴사하고 싶게 만든다."라는 마음을 들게 하여 인재가 떠나 회사가 망한다.

20,000명 심리 상담, 코칭으로 알게 된 리더가 7대 의무교육을
받지 않으면 인재가 떠나고 회사가 망하는 7가지 이유!

5대

방탄 리더 행복 의무교육 받지 않은 리더.

리더 자신이 행복률이 낮으면 리더 자신의 행복률을 채우기 위해 세상, 현실, 주
위 사람들이 말하는 행복의 기준인 돈에 집착하게 만든다. 돈을 많이 번다는 것에
3혹[유혹, 현혹, 화혹: 화려함에 혹하는 것]되어 사기를 잘 당한다. 행복률이 낮
으면 3혹이 잘 된다. 3혹 되는 모습이 누적되면 인재가 떠나가고 회사가 망한다.

방탄 리더 자기계발 의무교육 받지 않은 리더.

자기계발이 무엇인가? 자신, 자신 분야를 어제보다 나은 사람이 되기 위해 어제보다 0.1% 성장시켜 자신 가치, 몸값을 올려 자신 분야, 인생에서 필요한 사람이 되는 것이다. 자기계발을 제대로 하지 않는 리더는 자신의 성장에는 관심이 없고 오로지 돈만 있으면 된다는 태도로 한방, 대박만을 바라게 된다는 것이다. 인재가 회사를 떠나는 이유 중 첫 번째는 리더, 회사가 비전이 보이지 않는 것이다. 리더가 자기계발을 통해 비전, 가능성, 목표, 방향이 있다면 인재는 나가라고 해도 나가지 않는다. 아무리 화려한 것을 보더라도 가야 할 길(비전, 목표, 방향)이 분명하게 있는 리더는 3혹 되지 않지만 가야 할 길(비전, 목표, 방향)을 분명하게 보여주지 않으면 인재는 떠나고 회사는 망한다.

방탄 리더 코칭 의무교육 받지 않은 리더.

리더에게 0순위 스펙은 인재 양성 코칭이다! 리더가 인재 양성 코칭 매뉴얼, 시스템이 없다면 인재는 떠나간다. 인재는 오는 것이 아니라 만들어지는 것이다. 리더 코칭 의무교육 매뉴얼, 시스템 구축은 신입사원 교육 매뉴얼, 시스템보다 더 중요하다. 인재 양성 매뉴얼, 시스템이 없다면 인재는 더 이상 성장 할 수 없다고 판단한다. 성장할 수 없다고 판단이 서면 떠난다. 인재가 떠나면 회사가 망한다.

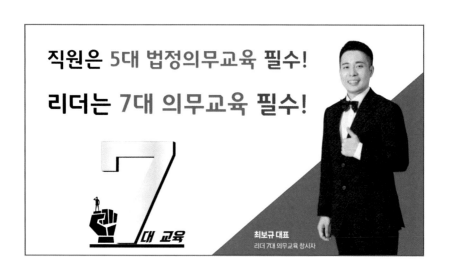

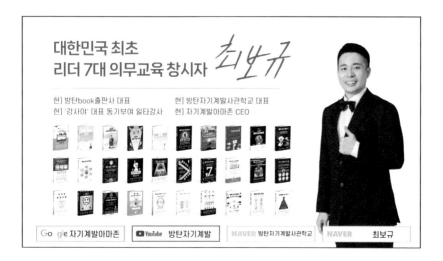

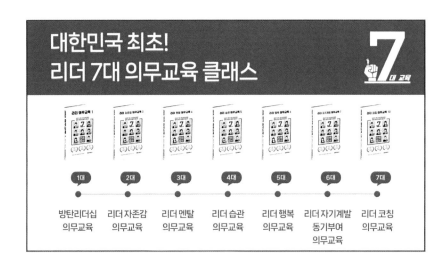

대한민국 최초!
리더 7대 의무교육 클래스

1대	2대	3대	4대	5대	6대	7대
방탄리더십 의무교육	리더 자존감 의무교육	리더 멘탈 의무교육	리더 습관 의무교육	리더 행복 의무교육	리더 자기계발 동기부여 의무교육	리더 코칭 의무교육

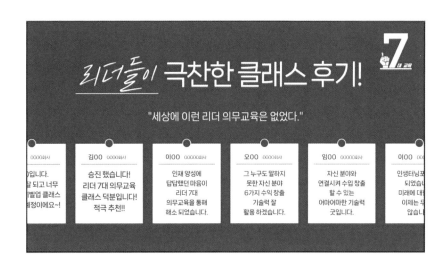

리더들이 극찬한 클래스 후기!

"세상에 이런 리더 의무교육은 없었다."

○○○○회사	김○○ ○○○○회사	이○○ ○○○○○회사	오○○ ○○○○회사	임○○ ○○○○○회사	이○○ ○○
...입니다. ...탈 되고 너무 ...벨업 클래스 ...예정이에요~!	승진 했습니다! 리더 7대 의무교육 클래스 덕분입니다! 적극 추천!!	인재 양성에 답답했던 마음이 리더 7대 의무교육을 통해 해소 되었습니다.	그 누구도 말하지 못한 자신 분야 6가지 수익 창출 기술력 잘 활용 하겠습니다.	자신 분야와 연결시켜 수입 창출 할 수 있는 어마어마한 기술력 굿입니다.	인생터닝포... ...되었습니... 미래에 대... 이제는 두... 않습니...

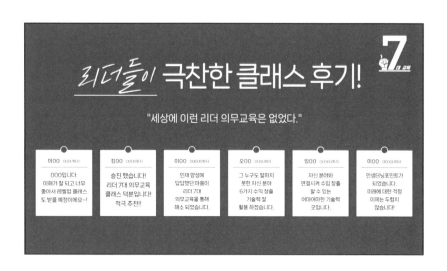

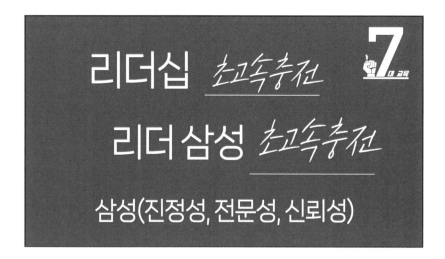

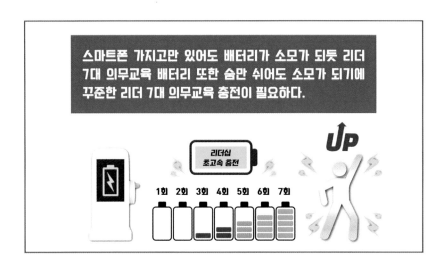

스마트폰 가지고만 있어도 배터리가 소모가 되듯 리더 7대 의무교육 배터리 또한 숨만 쉬어도 소모가 되기에 꾸준한 리더 7대 의무교육 충전이 필요하다.

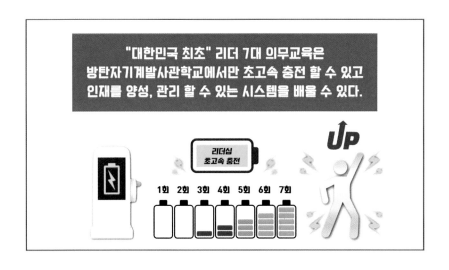

"대한민국 최초" 리더 7대 의무교육은 방탄자기계발사관학교에서만 초고속 충전 할 수 있고 인재를 양성, 관리 할 수 있는 시스템을 배울 수 있다.

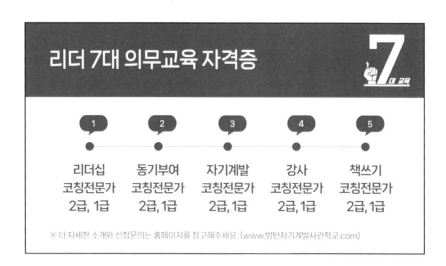

리더 7대 의무교육 자격증

7 대 교육

1	2	3	4	5
리더십 코칭전문가 2급, 1급	동기부여 코칭전문가 2급, 1급	자기계발 코칭전문가 2급, 1급	강사 코칭전문가 2급, 1급	책쓰기 코칭전문가 2급, 1급

※ 더 자세한 소개와 신청문의는 홈페이지를 참고해주세요. (www.방탄자기계발사관학교.com)

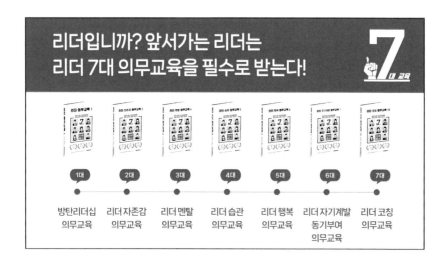

리더입니까? 앞서가는 리더는
리더 7대 의무교육을 필수로 받는다!

7 대 교육

1대	2대	3대	4대	5대	6대	7대
방탄리더십 의무교육	리더 자존감 의무교육	리더 멘탈 의무교육	리더 습관 의무교육	리더 행복 의무교육	리더 자기계발 동기부여 의무교육	리더 코칭 의무교육

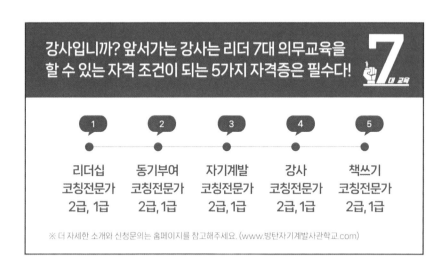

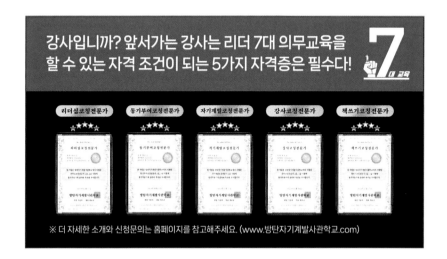

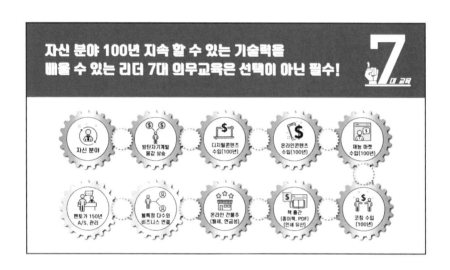

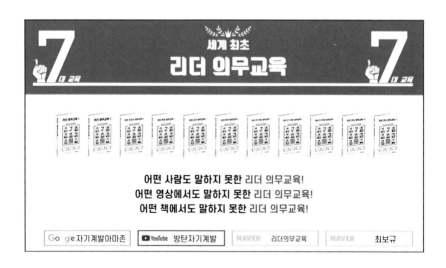

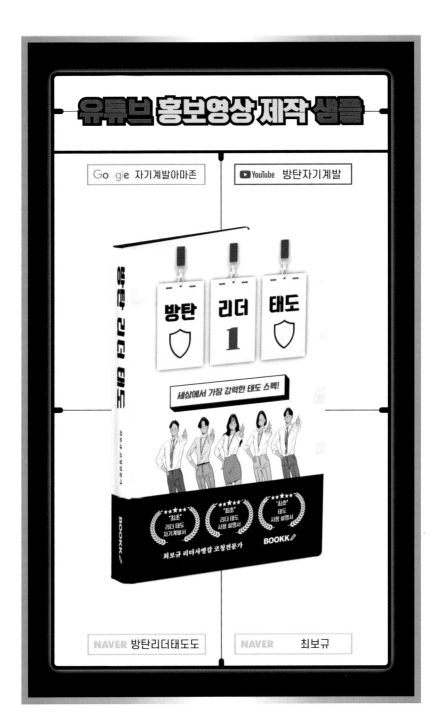

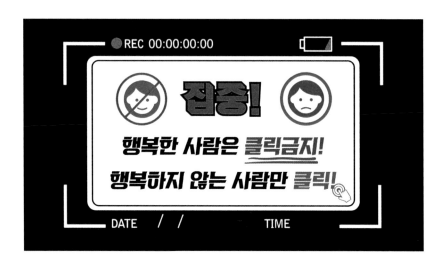

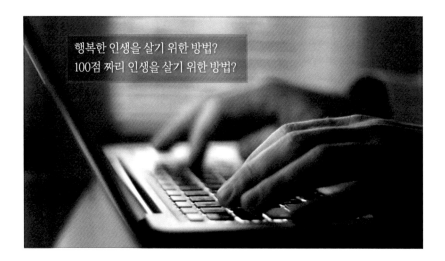

행복한 인생을 살기 위한 방법?
100점 짜리 인생을 살기 위한 방법?

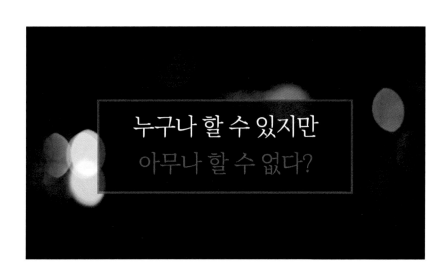

누구나 할 수 있지만
아무나 할 수 없다?

행복한 인생, 100점짜리 인생을 만들기 위한 방법!

일단 알파벳 순서대로 숫자를 붙여준다. A에 1을 붙여주
고 B에 2, C에 3, D에 4... 이런식으로 Z(26)까지 붙이면
된다. 그런 다음 어떤 단어 알파벳에 붙여진 숫자를 모두
더해 100 이 되는 단어를 찾는다.

행복한 인생, 100점짜리 인생을 만들기 위한 방법!

"열심히 일하면 될까?"
HARD WORK
8 + 1 + 18 + 4 + 23 + 15 + 18 + 11 = 98점

행복한 인생, 100점짜리 인생을 만들기 위한 방법!

"지식이 많으면?"
KNOWLEDGE
11 + 14 + 15 + 23 + 12 + 5 + 4 + 7 + 5 = 96점

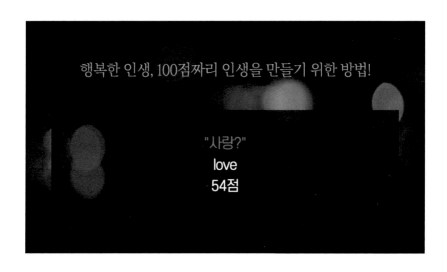

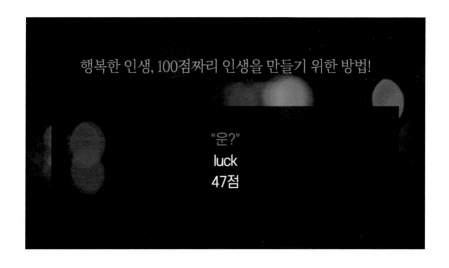

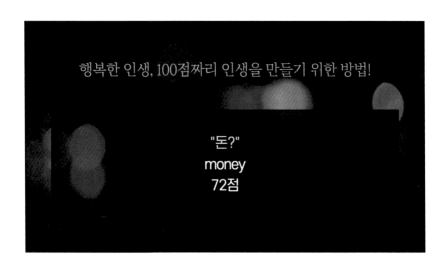

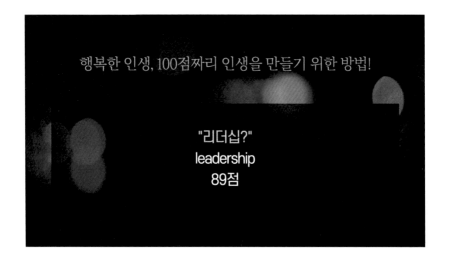

무엇이 인생을 100점짜리로 만들까? ───────

무엇이 인생을 100점짜리로 만들까? ─────── 정답은 attitude

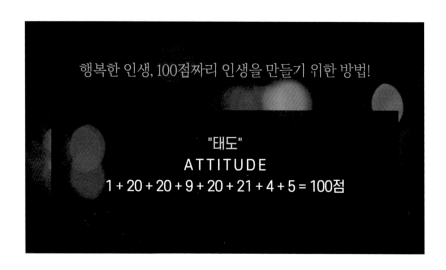

행복한 인생, 100점짜리 인생을 만들기 위한 방법!

"태도"
ATTITUDE
1 + 20 + 20 + 9 + 20 + 21 + 4 + 5 = 100점

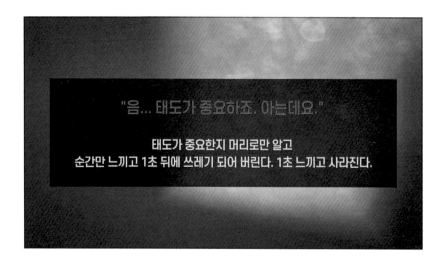

"음... 태도가 중요하죠. 아는데요."

태도가 중요한지 머리로만 알고
순간만 느끼고 1초 뒤에 쓰레기 되어 버린다. 1초 느끼고 사라진다.

"어떻게 하면 내 상황, 내 분야에서 좋은 태도를 만들어 갈 것인가?"

"성공자들, 인지도 있는 사람들, 자기계발 책 들, 동기부여 책들"
"유튜브 영상, 글, 메시지... 등 태도가 중요하다고 하는데"
"태도를 어떻게 학습, 연습, 훈련하는지 실질적인 방법을"
"알려주는 사람은 없었다!"

불러올 이미지가 없습니다.

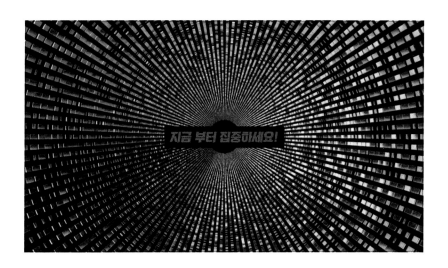

지금 부터 집중하세요!

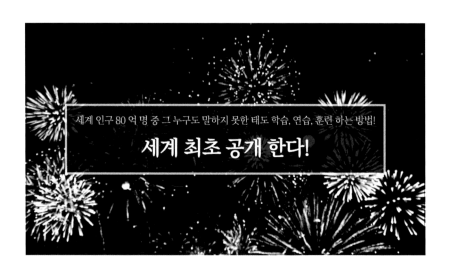

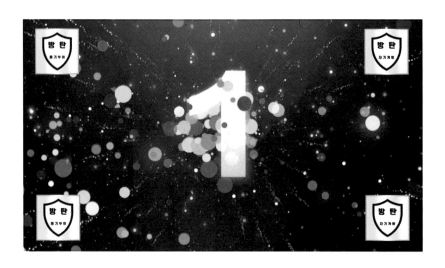

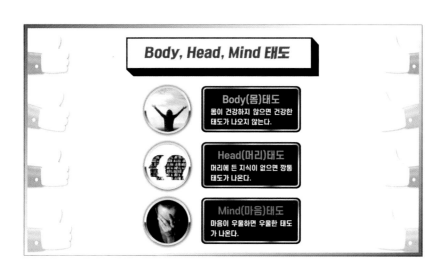

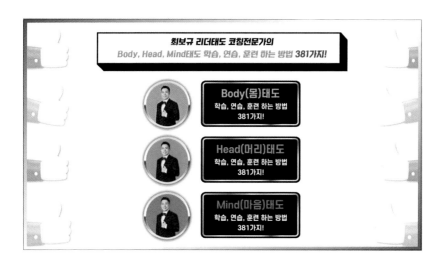

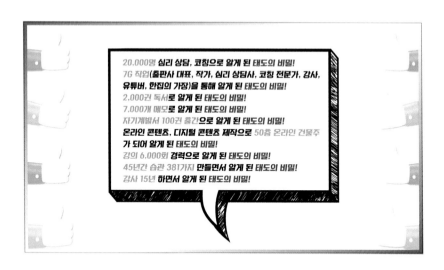

20,000명 심리 상담, 코칭으로 알게 된 태도의 비밀!
7G 직업(출판사 대표, 작가, 심리 상담사, 코칭 전문가, 강사,
유튜버, 한집의 가장)을 통해 알게 된 태도의 비밀!
2,000권 독서로 알게 된 태도의 비밀!
7,000개 메모로 알게 된 태도의 비밀!
자기계발서 100권 출간으로 알게 된 태도의 비밀!
온라인 콘텐츠, 디지털 콘텐츠 제작으로 50층 온라인 건물주
가 되어 알게 된 태도의 비밀!
강의 6,000회 경력으로 알게 된 태도의 비밀!
45년간 습관 381가지 만들면서 알게 된 태도의 비밀!
강사 15년 하면서 알게 된 태도의 비밀!

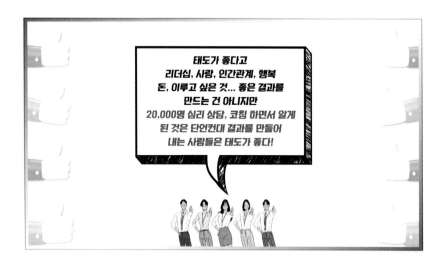

태도가 좋다고
리더십, 사랑, 인간관계, 행복
돈, 이루고 싶은 것... 좋은 결과를
만드는 건 아니지만
20,000명 심리 상담, 코칭 하면서 알게
된 것은 단언컨대 결과를 만들어
내는 사람들은 태도가 좋다!

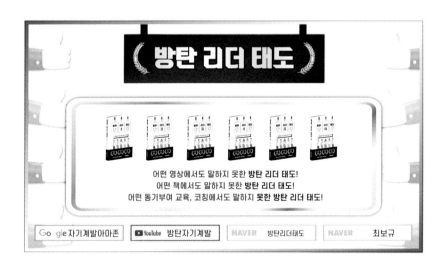

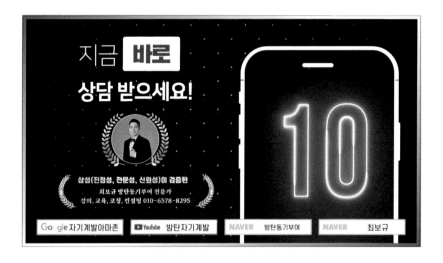

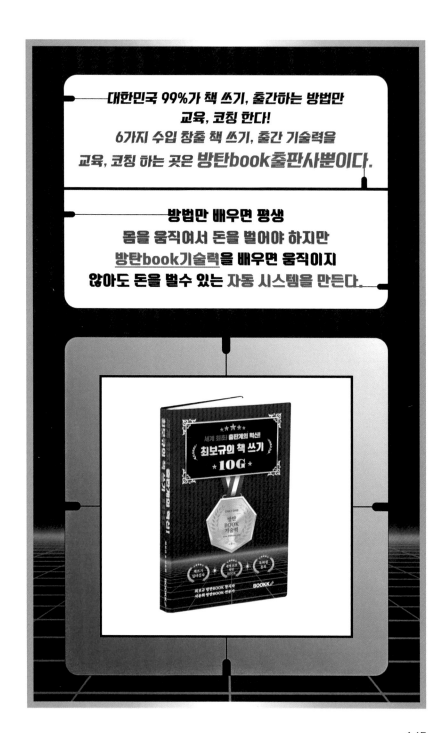

대한민국 99%가 책 쓰기, 출간하는 방법만
교육, 코칭 한다!
6가지 수입 창출 책 쓰기, 출간 기술력을
교육, 코칭 하는 곳은 방탄book출판사뿐이다.

방법만 배우면 평생
몸을 움직여서 돈을 벌어야 하지만
방탄book기술력을 배우면 움직이지
않아도 돈을 벌수 있는 자동 시스템을 만든다.

유튜브 홍보영상 제작 샘플

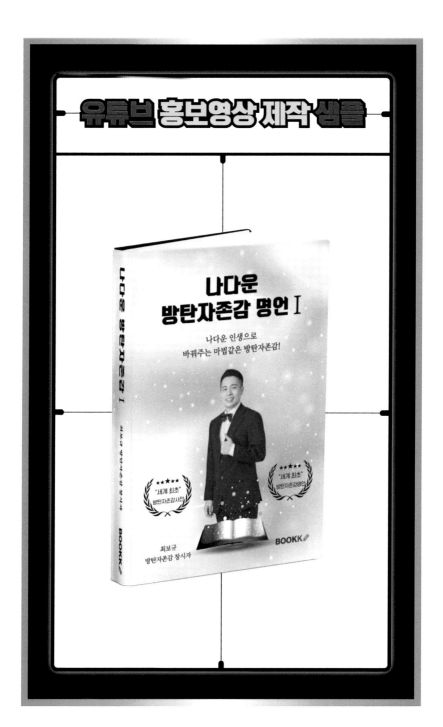

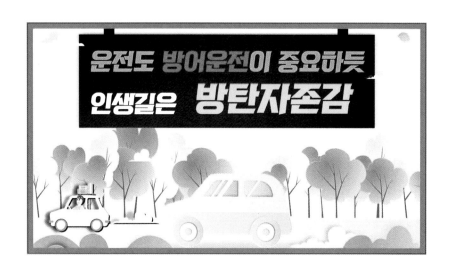

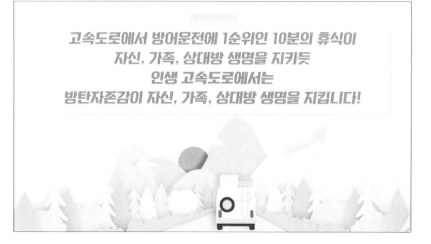

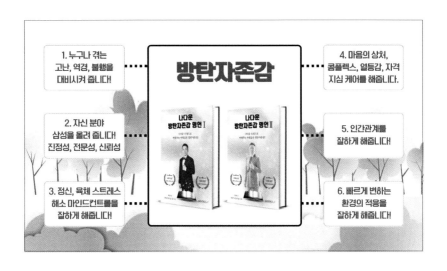

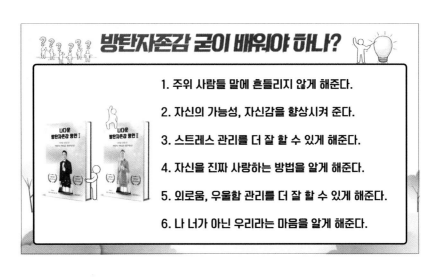

방탄자존감 굳이 배워야 하나?

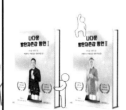

7. 자신도 필요한 존재, 도움이 되는 사람 이구나 느끼게 해준다.

8. 부정적인 비교보다는 긍정의 비교를 더 하게 해준다.

9. 가진 것이 부족해 생기는 불만보다는 감사를 더 찾게 해준다.

10. 자격지심, 콤플렉스, 트라우마, 상처를 관리할 수 있게 해준다.

11. 삶의 의욕을 넘치게 해준다.

12. 자신 가치를 찾게 해준다.

13. 불행, 고난, 역경, 힘든 시기가 왔을 때 이겨 낼 수 있게 해준다.

방탄자존감은 인생을 잘 다루게 한다!

김연아는
김연아답게 세계에서 온리원으로 피겨를 잘 다루고

류현진은
류현진답게 세계에서 온리원으로 야구를 잘 다루고

손흥민은
손흥민답게 세계에서 온리원으로 축구를 잘 다루고

BTS(방탄소년단)는
BTS(방탄소년단)답게 세계에서 온리원으로 댄스, 뮤직을 잘 다루고
세계 최초 방탄멘탈 창시자 인
최보규는 최보규답게 세계에서 온리원으로 방탄자존감을 잘 다룬다.

방탄자존감은 인생을 잘 다루게 한다!

김연아는
김연아답게 세계에서 온리원으로 피겨를 잘 다루고

류현진은
류현진답게 세계에서 온리원으로 야구를 잘 다루고

손흥민은
손흥민답게 세계에서 온리원으로 축구를 잘 다루고

BTS(방탄소년단)는
BTS(방탄소년단)답게 세계에서 온리원으로 댄스, 뮤직을 잘 다루고
세계 최초 방탄멘탈 창시자 인
최보규는 최보규답게 세계에서 온리원으로 방탄자존감을 잘 다룬다.

방탄자존감은 인생을 잘 다루게 한다!

지혜로운 사람은 자신을 잘 다루며
방탄자존감은
돈, 사랑, 행복, 인간관계, 자기계발, 멘탈, 습관, 꿈등
이루고 싶은 것들을 잘 다루게 한다.
4차산업시대에 4차 자존감인 방탄자존감은 선택이 아닌 필수다.

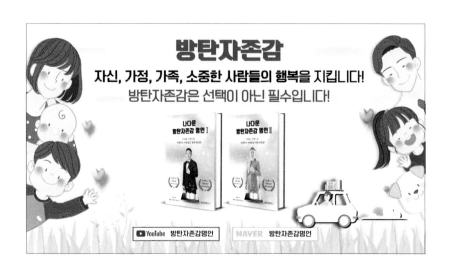

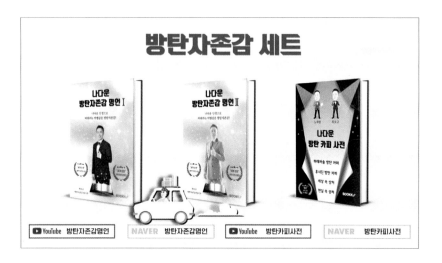

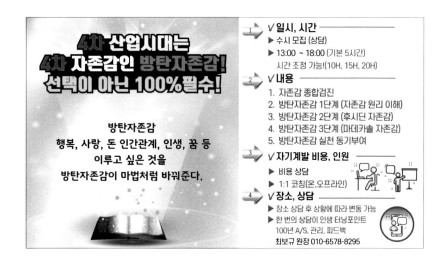

누군가는 출간한 책이 냄비 받침대가 되어가고
누군가는 출간한 책이 인생 디딤돌이 되어간다.

어떤 사람? 당신의 선택은?

OOO책 쓰기, 책 출간 교육받고 책 출간했는데 3개월 지나니 별거 없다. 책 쓰는 방법만 배우니 출간한 책이 냄비 받침대 되어 간다... 출간 한 책을 활용할 수 있는 방법은 없나? 출간한 책이 너무 아깝다. 책이 죽어가요! 누가 좀 도와주세요!

방탄book기술력 코칭 받고 책 출간으로 내 분야와 연결하여 지속적인 홍보마케팅이 되어 수입이 지속적으로 발생하고 나이들어도 계속할 수 있는 기술력을 만들 수 있어서 너무 감사합니다. 방탄book기술력은 인생에 디딤돌입니다.

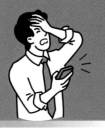

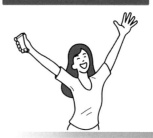

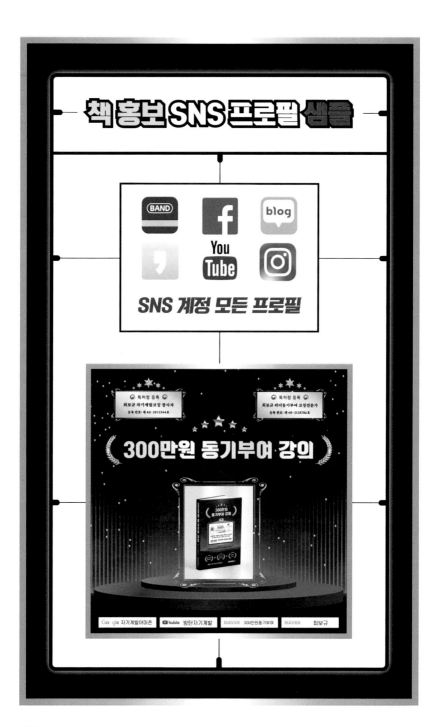

앞에서 언급했던 내용인 "누구나 최고의 홍보 마케팅 도구를 가지고 있다? 무엇을 상상하는가? 누구나 가지고 있는 것이 무엇인가? 스마트폰이다. 스마트폰으로 할 수 있는 자신의 SNS다. 스마트폰으로 할 수 있는 가장 기본석인(부료) 홍보마케팅 도구가 유튜브 자신 채널, 네이버TV, 카카오TV, 카카오스토리, 카카오톡(펑), 페이스북, 인스타그램, 유튜브, 네이버 블로그, 카카오스토리, 티스토리, 밴드... 등이 있을 것이다."

누구나 SNS 친구, 지인들, 간접적으로 알고 지내는 사람, 우연히 SNS 친구가 된 사람... 등 눈에 들어오는 프로필 이미지가 있다면 클릭을 한다. 자신에 대해서 잘 알고 있는 사람일지라도 자신이 지금 무엇을 새롭게 하고 있는지를 어필하기 위한 한 가지가 프로필 이미지다.

전문 분야가 있다면 자신 취미 사진, 먹는 사진, 놀러간 사진, 가족사진, 자녀 사진 프로필에 올리는 것도 좋지만 프로필 사진, SNS에 올리는 사진에 자신의 전문성을 어필할 수 있는 이미지를 올리면 홍보마케팅이 되는 것이다.

"프로필 이미지, SNS에 올라오는 사진을 보니, 이 사람 이런 것도 하는 사람이었구나. 이 사람 전문성이 있는 사람이었구나. 그쪽 궁금한 게 있었는데 사분 좀 구해봐

야겠는데, 도움을 줄 수 있겠는데, 도움을 받을 수 있겠는데... 등"

그래서 홍보마케팅을 무료로 할 수 있는 방법들을 최대한 활용을 해야 된다. SNS 프로필 홍보마케팅은 무료로 계속할 수 있는 장점도 있다.

어떻게 하면 자신 분야 노출을 시킬 것인가를 끊임없이 생각하고 행동해야 한다. 다음으로 나오는 프로필 비교 이미지를 참고하길 바란다.

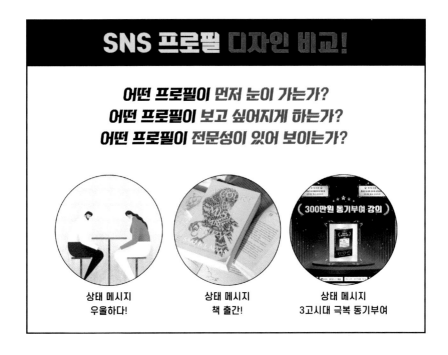

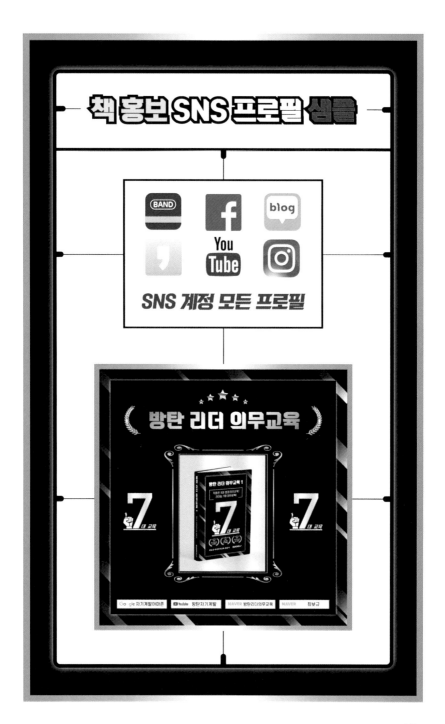

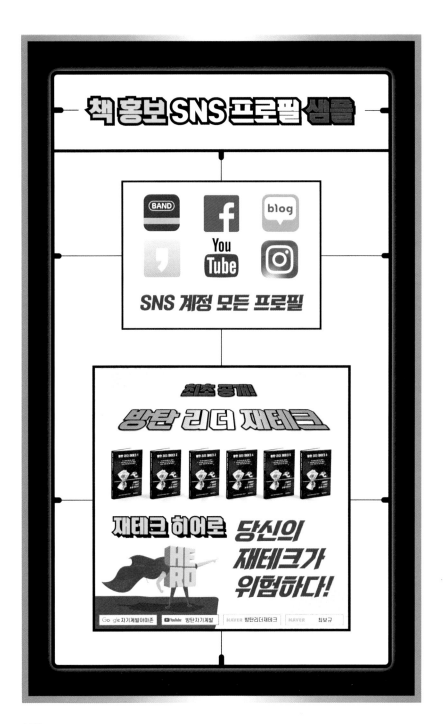

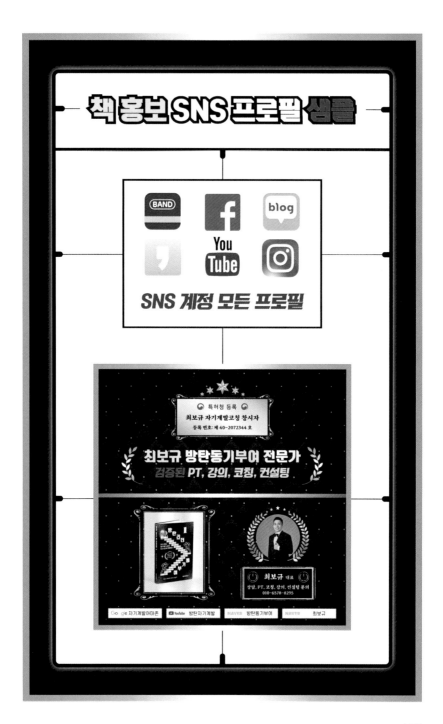

책 홍보 SNS 프로필 샘플

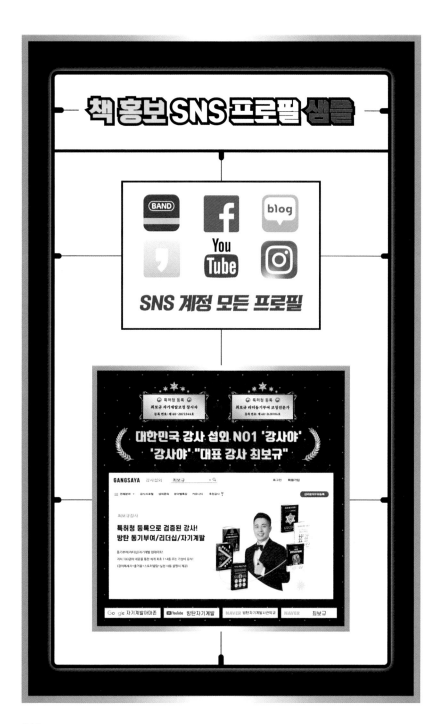

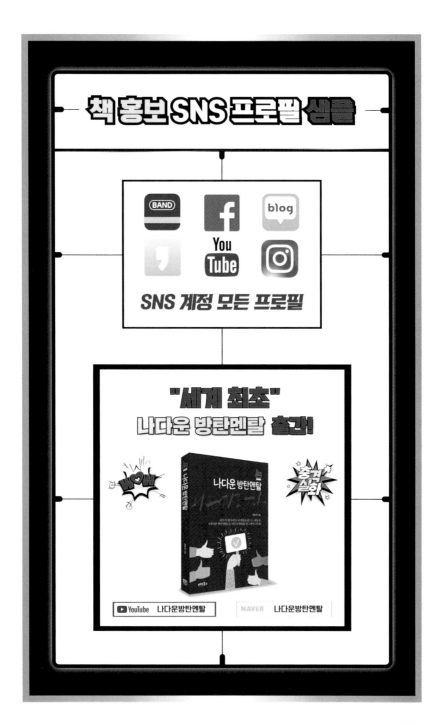

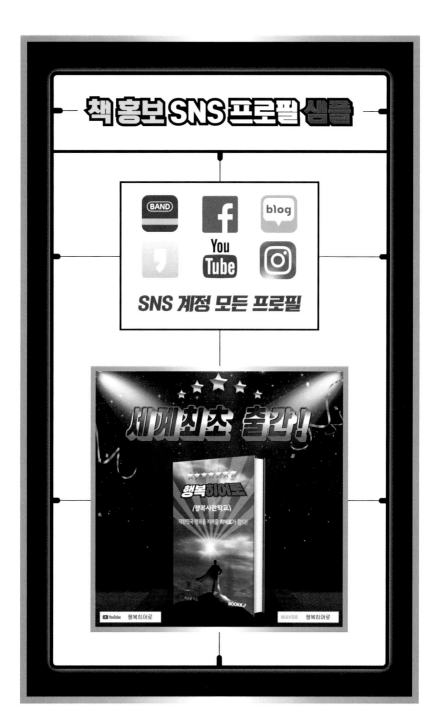

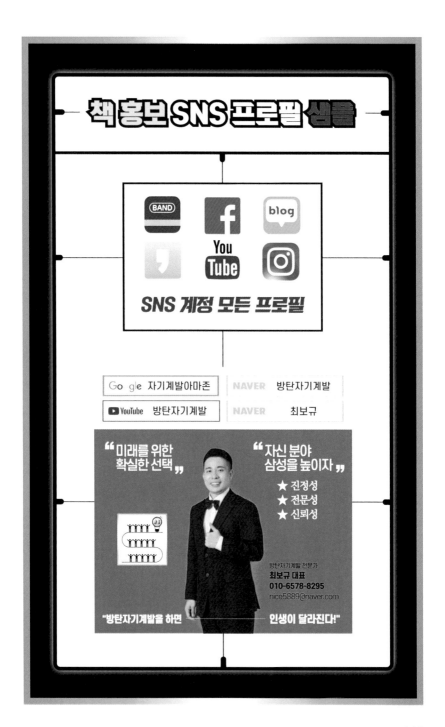

책 홍보 SNS 프로필 샘플

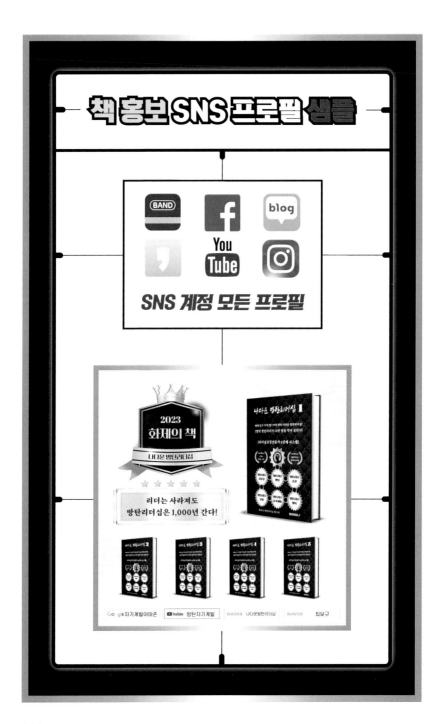

SNS 계정 모든 프로필

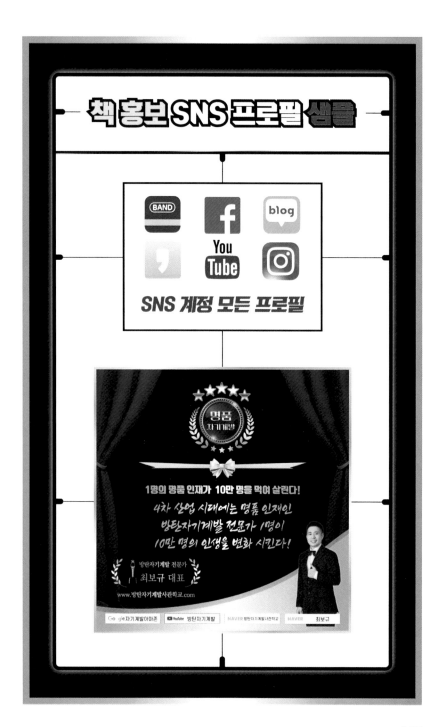

책 홍보 SNS 프로필 샘플

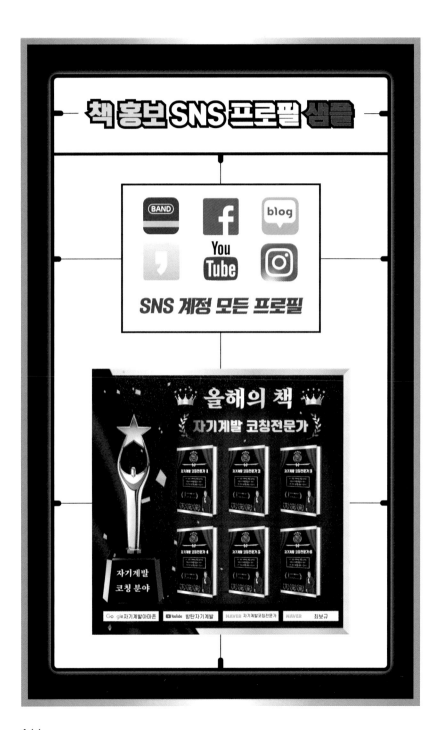

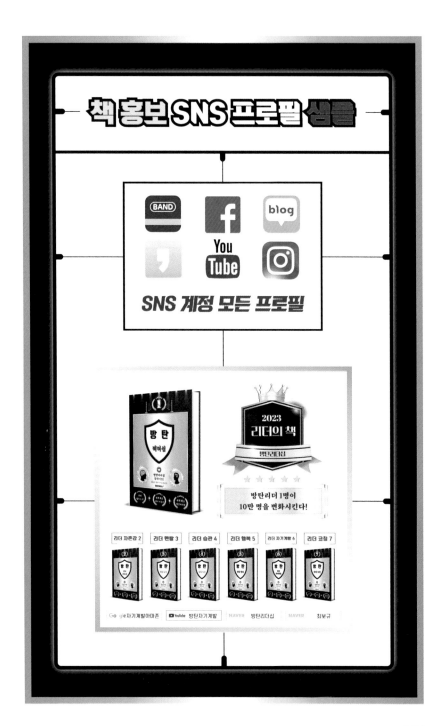

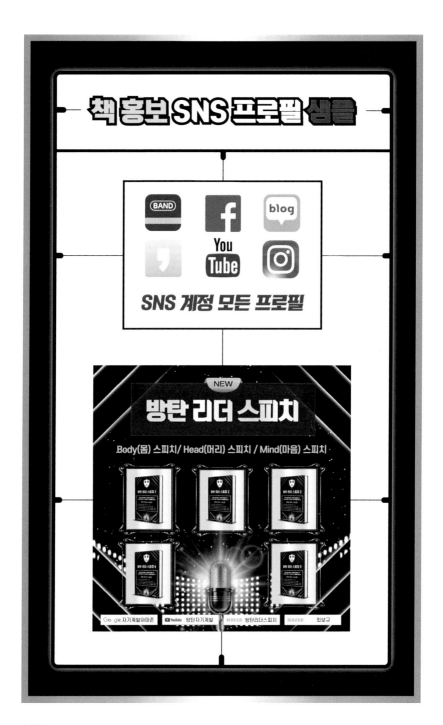

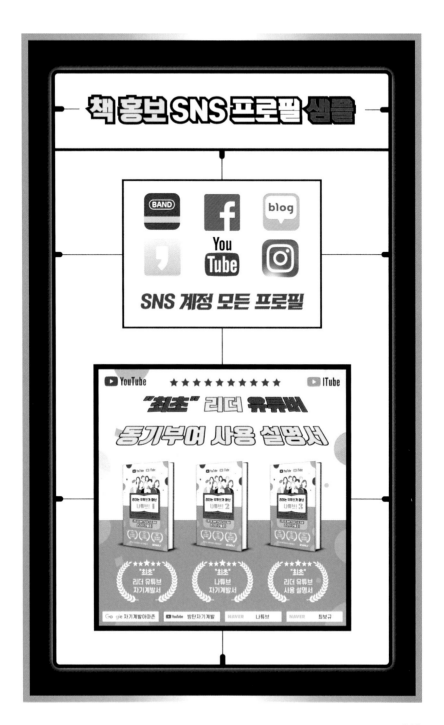

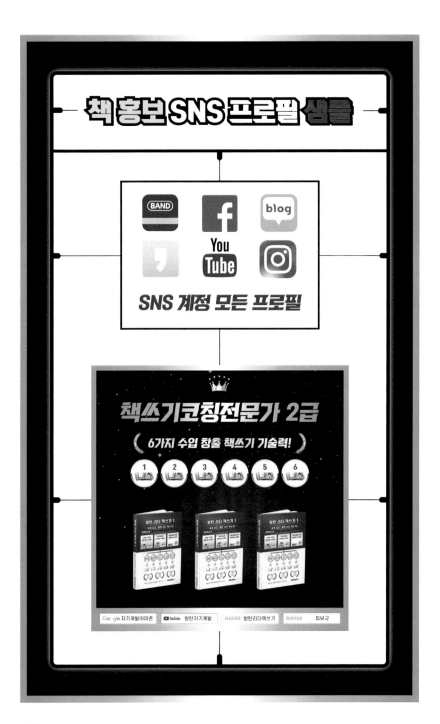

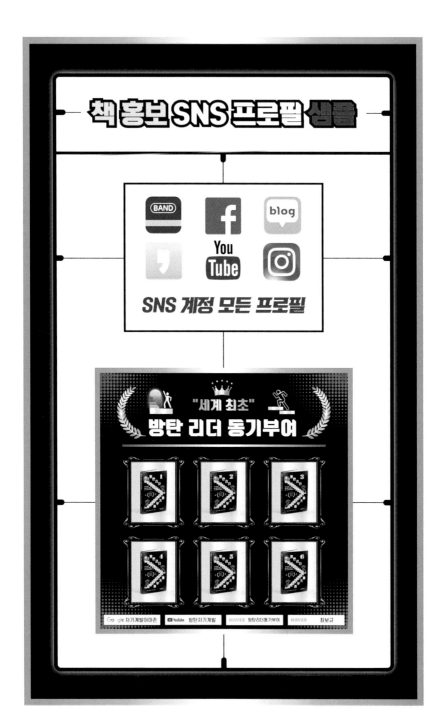

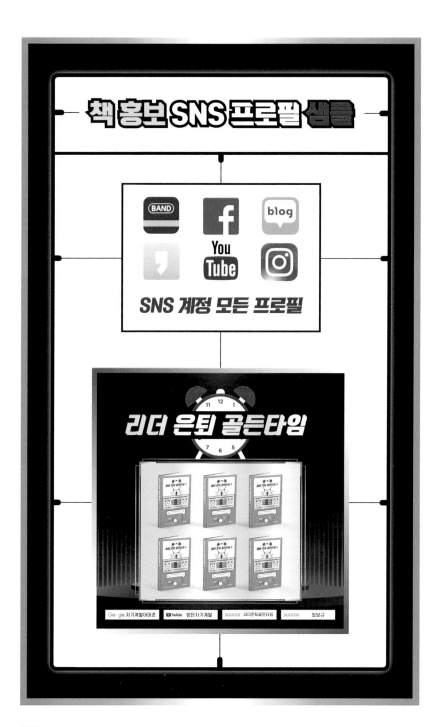

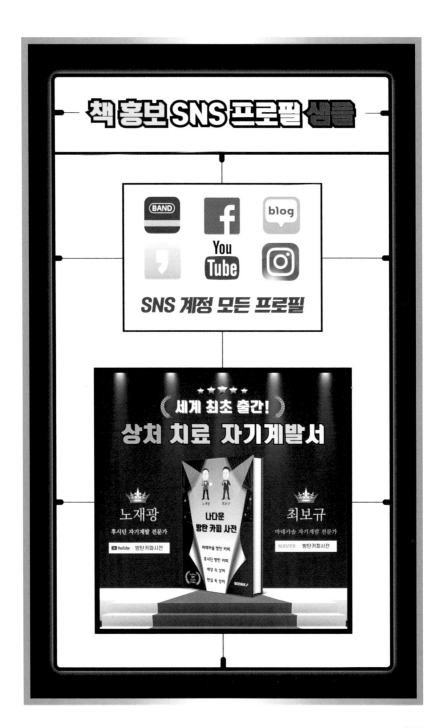

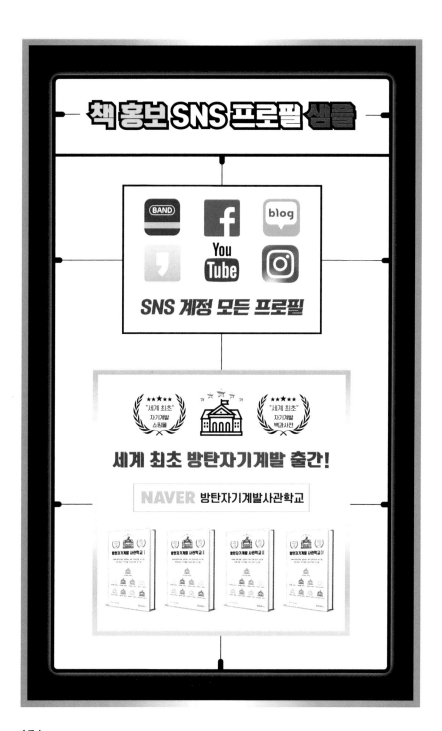

174

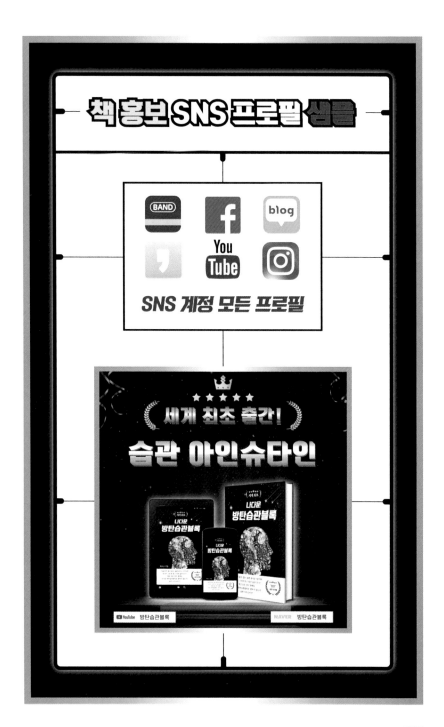

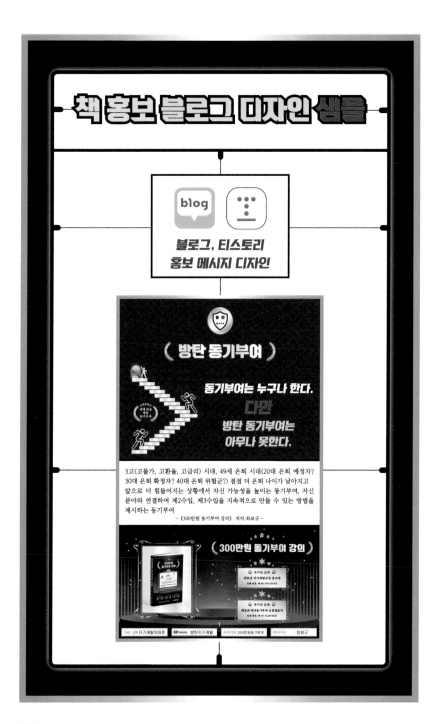

SNS 속 프로필은 자신과 직접적, 간접적으로 연결이 되어 있어야 볼 수가 있다. 자신을 모르는 사람이라면 자신의 프로필을 보기가 쉽지 않다.

#이라는 해시태그를 걸어두면 처음 보는 사람도 검색으로 들어온다. 하지만 프로필은 핵심 이미지 한 장만 어필할 수 있기에 세부적인 홍보마케팅은 되지 않는다. 그래서 무료로 할 수 있는 네이버 블로그, 티스토리를 활용해야 한다. 네이버 블로그, 티스토리에 매일 하나씩 업로드해서 노출을 시켜야 한다. 홍보비에 여유가 있다면 얼마든지 업체에 의뢰를 해서 한 달에 몇 백씩 홍보를 해도 된다. 하지만 꾸준히 홍보비를 지출하면서 한다는 게 쉽지가 않다.

세상에 모든 것은 꾸준함이 전제가 되어야 한다. 성실함의 부모는 꾸준함이다. 성실함이 기본이 되어 꾸준함이 나오는 것이다. 성실함이 없으면 꾸준함은 나오지 않는다. 한마디로 책이든 제품이든 자신 분야 홍보마케팅에는 끝이 없다는 것이다. 무료로 할 수 있는 자신의 계정으로 꾸준히 하는 게 답이다.

책에 있는 핵심 내용들을 이미지, 메시지로 만들어서 스마트폰으로 할 수 있는 틀을 만들어야 한다. PC로 할 수도 있겠지만 언제든지 빠르고 쉽게 할 수 있는 스마

트폰으로 할 수 있어야 시간 절약을 할 수 있다. 지금 시대에는 시간은 금이 아니라 다이아몬드다.

책에 있는 내용을 이미지로 만든다는 게 쉽지 않다. 필자는 원고 작업 시작할 때 이미지와 글을 같이 만들었다. 방탄book기술력 코칭 할 때 늘 하는 말이 있다.

"남과 같은 방법으로 원고에 글만 쓴다면 경쟁력이 없다. 지금 시대에 사람들의 시각적인 심리(하루만에도 영상, 숏폼, 이미지 몇 1,000개를 본다)에 맞게 책 내용을 극대화하기 위해서 글에 맞는 이미지를 만들어야 한다. 글을 이미지로 만드는 훈련을 하면 6가지 수입 창출 시스템을 만드는데 시간, 돈 낭비를 줄여 준다. 나중에 해야 할 것을 미리 하는 것뿐이다."

책 핵심 내용 이미지 만드는 방법에는 3가지가 있다.
첫 번째 방법.
책을 출간하고 나서 이미지 작업을 따로 해서 원고 수정을 한다.
두 번째 방법.
원고에 글을 완성한 다음에 핵심 내용들에 이미지 디자인을 한다.
세 번째 방법.
원고에 글을 쓸 때부터 핵심 내용들 이미지 디자인을

같이 한다.

방탄book기술력을 만난 사람들은 처음부터 책을 쓸 때
두 번째, 세 번째를 배워서 한다.

책을 출간하고 방탄book기술력을 만난 사람들은 뒤늦게
책 핵심 내용 이미지 디자인의 중요성을 알게 된다.

책만 출간할 거라면 책 핵심 내용 이미지 디자인이 필
요 없다. 하지만 6가지 수입 창출까지 하려면 책 핵심
내용 이미지 디자인은 필수다. 늘 말하지만 세상에서 가
장 쉬운 방법은 만들어져 있는 것을 어떻게 만들었는지
참고해서 벤치마킹하는 것이다.

다음으로 나오는 책 홍보 블로그 디자인 샘플들을 참고
하자.

방탄습관블록
행동 수칙 10가지 공식

1 습관의 고정관념, 틀, 선입견, 편견을 깨지 못하면 나다운 습관은 쌓지 못한다

2 나다운 방탄습관블록 3:7 공식 원리 이해! 방탄습관블록 3why? 기법!

3 노벨상을 받은 사람의 습관 공식? 세계 1억 5천만 부 팔린 책 습관 공식? 다 잊어라!

4 나다운 몸 습관 블록 쌓기 원리

5 나다운 몸 습관 블록 쌓기

6 나다운 머리 습관 블록 쌓기 원리

7 나다운 머리 습관 블록 쌓기

8 나다운 마음(방탄멘탈)습관 블록 쌓기 원리

9 나다운 마음(방탄멘탈)습관 블록 쌓기

10 당신의 가능성은 무한대이지만 혼자서는 나다운 방탄습관블록을 쌓을 수 없다!

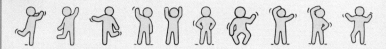

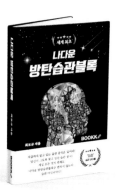

습관분야 베스트셀러

최보규
습관 아인슈타인

NAVER	최보규
NAVER	방탄습관블록
▶ YouTube	방탄습관블록

1

습관의 개념은 안 좋은 습관을 바꾸는 것이
아니라 좋은 습관을 하나씩
쌓아 가는 것입니다.
현재 안 좋은 습관은 유지하면서
만들고 싶은 좋은 습관을
자신이 지금 하고 있는
습관 위에 쌓는 것입니다.
"습관은 바꾸는 것이 아니라 쌓는다." 개념
으로 시작하십시오.
한마디로 레고처럼 블록을 쌓는 것입니다.
안 좋은 습관을 중간에 빼는 것이 아닙니다.
그 위에 쌓는 것입니다.

− 《나다운 방탄습관블록》 저자 최보규 −

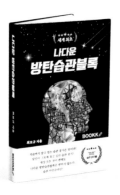

습관분야 베스트셀러

최보규
습관 아인슈타인

NAVER	최보규
NAVER	방탄습관블록
▶ YouTube	방탄습관블록

2

181

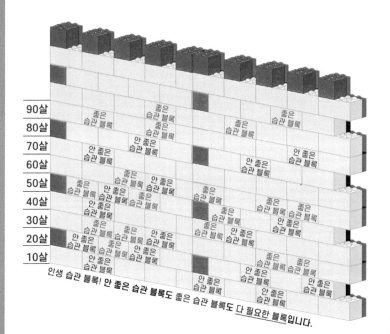
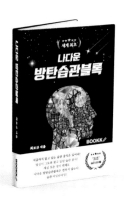

평균적으로 사람들이
알고 있는 습관 개념?

방탄습관 개념!

3개월 꾸준히 하지 못해서
습관을 못 만들었어;;
에잇! 다음부터 안 해;;

꾸준히 하는 것도 습관 블록!
몸에 익숙해지는 기간 3개월 이상만 하면
꾸준히 안 하더라도 습관 블록 쌓는 것이다!
작은 습관 블록 성취감을 누적시켜 큰 습관 블록 도전!

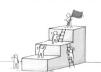

- 《나다운 방탄습관블록》 저자 최보규 -

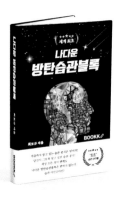

습관분야 베스트셀러

최보규

습관 아인슈타인

NAVER	최보규
NAVER	방탄습관블록
▶ YouTube	방탄습관블록

4

15,000명 상담하면서 습관을 오래 유지 못하는 사람들의
특징은 유명한 사람의 고유의 성격, 경험 70%를
따라 하기 때문에 나답게가
나오지 않아 오래 유지가 안 되는 것입니다.

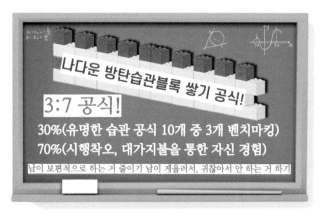

나다운 방탄습관블록 쌓기 공식!

3:7 공식!

30%(유명한 습관 공식 10개 중 3개 벤치마킹)
70%(시행착오, 대가지불을 통한 자신 경험)

남이 보편적으로 하는 거 줄이기 남이 재을러서, 귀찮아서 안 하는 거 하기

- 《나다운 방탄습관블록》 저자 최보규 -

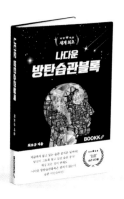

습관분야 베스트셀러

최보규

습관 아인슈타인

NAVER	최보규
NAVER	방탄습관블록
▶ YouTube	방탄습관블록

5

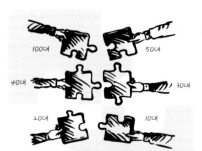

항상 나이를 핑계로 시작을 못 한다!
100대는 90대를 보면서 좋을 때다
내가 10년만 젊었어도 다 해보겠다.
90대는 80대에게
80대는 70대에게
70대는 60대에게
60대는 50대에게
50대는 40대에게
40대는 30대에게
30대는 20대에게
그 좋은 때가 지금입니다.
시작합시다!

나다운 방탄습관 쌓기 가장 좋은 나이?
좋은 시절, 안 좋은 시절 다 내 인생의 필요한 퍼즐입니다.
감사하고 사랑합시다. 토닥! 토닥! 잘 하고 있는 거 알지!

- 《나다운 방탄습관블록》 저자 최보규 -

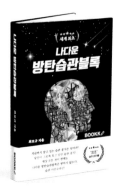

습관분야 베스트셀러

최보규

습관 아인슈타인

NAVER	최보규
NAVER	방탄습관블록
▶ YouTube	방탄습관블록

6

나다운 방탄멘탈 공식! 올노!(올바른 노력) •••

올노(올바른 노력 = 올노+전문가 피드백+ 수정, 올노)

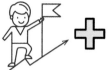 **+** feedback **+**

1단계: 적응될 때까지! 익숙해질 때까지!	2단계: 올노했던 방법 전문가에게 점검받기!	3단계: 수정한 것으로 다시 올노!

❤ 🗨 ✈ **1단계+2단계+3단계 = 반복(결과 나올 때까지)** 🔖

방탄멘탈 = 자자자자멘습궁! 멘탈시대는 끝났습니다!
운전도 방어운전이 중요하듯
'나다운 방탄멘탈'이 필요합니다.
나다운 방탄멘탈도 스펙입니다.
학습, 연습, 훈련을 통해 익히는 것입니다!

[출처: 〈나다운 방탄멘탈〉 저자 최보규]

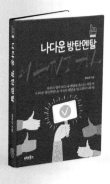

★★★★★
최보규 방탄멘탈 창시자

NAVER	최보규
NAVER	나다운방탄멘탈
▶YouTube	방탄자기계발
Google	자기계발아마존

1

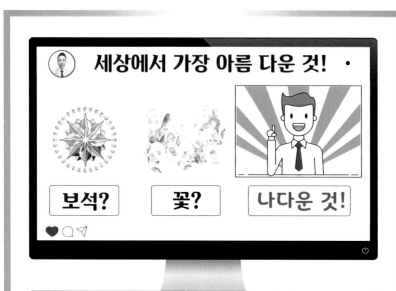

세상에서 가장 아름다운 것은 나다운 것입니다.
현실 속 나다움이 죽어가고 있습니다.
나다운 골든타임! 지금! 나다운 심폐소생술 시작합니다!
나다움의 시작은 사람을 존중할 때 시작됩니다.
남이 하는 것 안 하기! 남들이 안 하는 것 하기!

[출처: 〈나다운 방탄멘탈〉 저자 최보규]

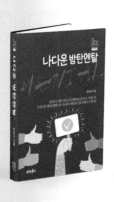

★★★★★
최보규 방탄멘탈 창시자

NAVER	최보규
NAVER	나다운방탄멘탈
▶YouTube	방탄자기계발
Google	자기계발아마존

2

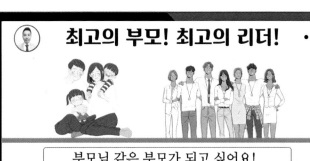

최고의 부모! 최고의 리더! ···

부모님 같은 부모가 되고 싶어요!
리더님 같은 리더가 되고 싶어요!

최고의 부모? 최고의 리더?
부모님 같은 부모가 되고 싶어요!
리더님 같은 리더가 되고 싶어요!
부모, 리더가 보내는 가장 강력한
메시지는 솔선수범입니다.

[출처: 〈나다운 방탄멘탈〉 저자 최보규]

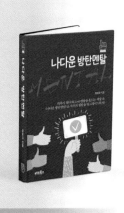

★★★★★
최보규 방탄멘탈 창시자

NAVER	최보규
NAVER	나다운방탄멘탈
▶YouTube	방탄자기계발
Google	자기계발아마존

3

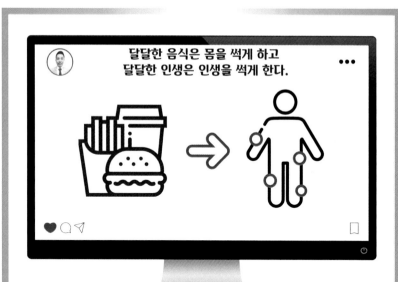

달달한 음식은 몸을 썩게 하고
달달한 인생은 인생을 썩게 한다.

혀가 좋아하는 음식은 몸이 싫어하고
몸이 좋아하는 음식은 혀가 싫어한다.
달달한 음식은 몸을 썩게 한다.
달달한 인생은 인생을 썩게 한다.

[출처: 〈나다운 방탄멘탈〉 저자 최보규]

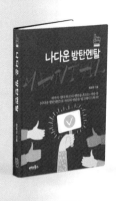

★★★★★
최보규 방탄멘탈 창시자

NAVER	최보규
NAVER	나다운방탄멘탈
▶YouTube	방탄자기계발
Google	자기계발아마존

4

노오력
시간만, 경력만, 채우는 것!

올바른 노력
1. 집중 2. 전문가 피드백 3. 수정

어제

어제 보다
0.1%
변화, 나음, 성장

노력은 경험만 채우고 시간만 때우는 노력입니다. 지금 시대는 노력이 배신하는 시대입니다.
올바른 노력은 어제보다 0.1% 다르게, 변화, 마음, 성장하는 것입니다.

- 〈자기계발 코칭전문가 1〉 저자 최보규 -

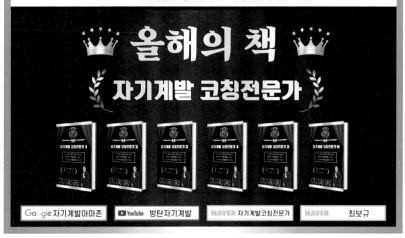

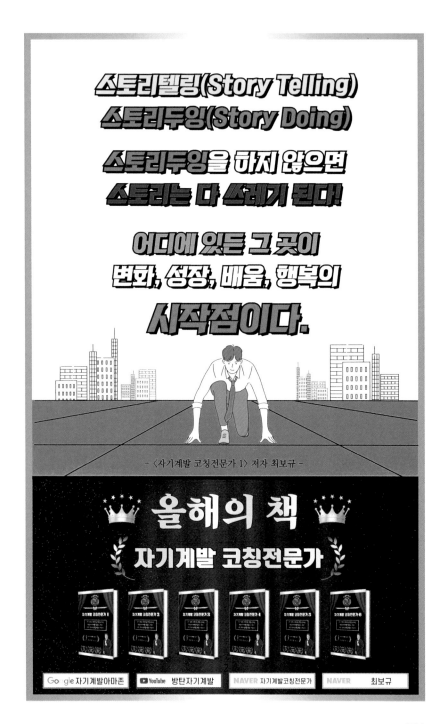

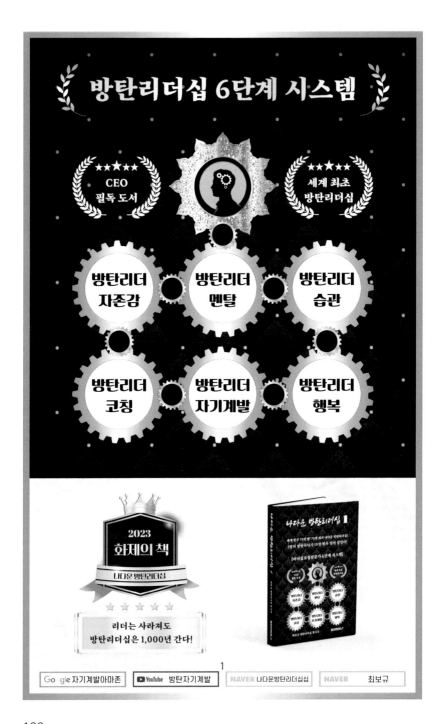

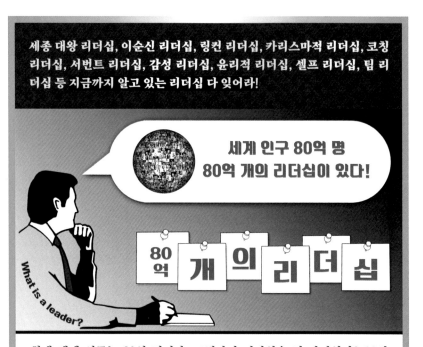

세종 대왕 리더십, 이순신 리더십, 링컨 리더십, 카리스마적 리더십, 코칭 리더십, 서번트 리더십, 감성 리더십, 윤리적 리더십, 셀프 리더십, 팀 리더십 등 지금까지 알고 있는 리더십 다 잊어라!

세계 인구 80억 명
80억 개의 리더십이 있다!

80억 개의 리더십

현재 세계 인구는 80억 명이다. 그렇다면 리더십은 몇 가지일까? 80억 가지의 리더십이 있다. 사람 지문, DNA가 같은 사람이 없듯이 리더십도 사람마다 같을 수 없다. 나다운 리더십을 만들어야 세상에 하나뿐인 방탄 리더십이 생겨 오래 지속되는 것이다. 사람마다 리더십이 다르기 때문에 지금까지 알고 있는 리더십은 다 잊으라고 말을 하는 것이다.

– 《나다운 방탄리더십 1》 저자 최보규 –

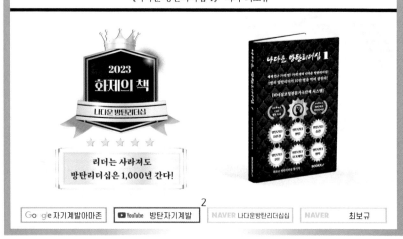

Google 자기계발아마존　▶YouTube 방탄자기계발　NAVER 나다운방탄리더십십　NAVER 최보규

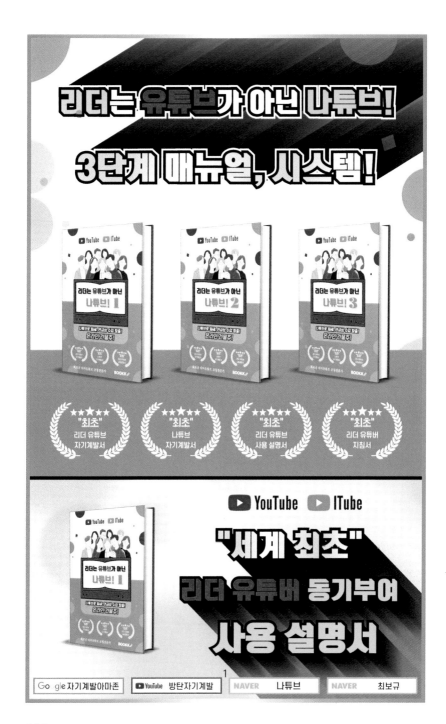

194

리더는 유튜브가 아닌 나튜브!

자신 분야
삼성(진정성, 전문성, 신뢰성)을 높여
온라인 건물주!

유튜브는 자신 100년 인생 파이프라인!

▶ 파이프라인: 시간, 환경 제약 없이 지속적인 소득이 일어난다!

> 지금 시대 유튜브 선택이 아닌 필수

자신 분야를 무한으로 연결시켜 준다!

최보규
리더 유튜브코칭 전문가
유튜브 도구 활용!

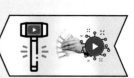

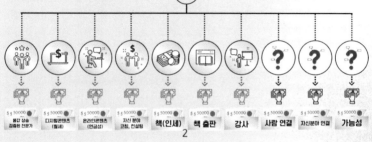

$ $ 50000	$ $ 50000	$ $ 50000	$ $ 50000	$ $ 50000	$ $ 50000	$ $ 50000	$ $ 50000	$ $ 50000	$ $ 50000
몸값 상승 검증된 전문가	디지털콘텐츠 (월세)	온라인콘텐츠 (연금성)	자신 분야 코칭, 컨설팅	책(인세)	책 출판	강사	사람 연결	자신분야 연결	가능성

2

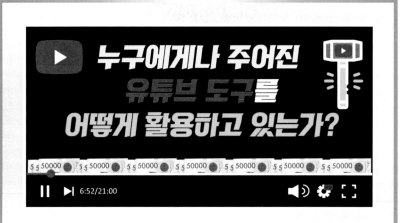

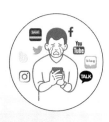
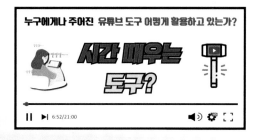

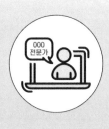
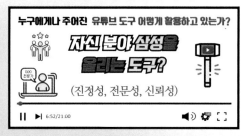

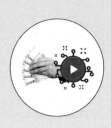
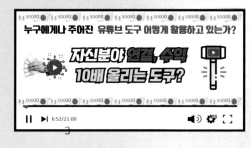

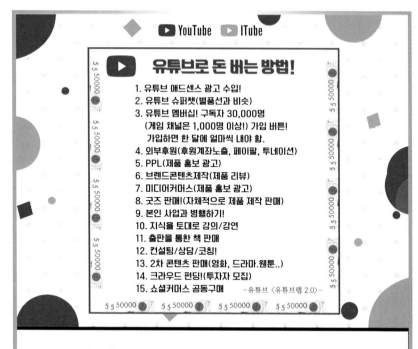

> YouTube   > ITube

▶ 유튜브로 돈 버는 방법!

1. 유튜브 애드센스 광고 수입!
2. 유튜브 슈퍼챗(별풍선과 비슷)
3. 유튜브 멤버십! 구독자 30,000명
   (게임 채널은 1,000명 이상!) 가입 버튼!
   가입하면 한 달에 얼마씩 내야 함.
4. 외부후원(후원계좌노출, 페이팔, 투네이션)
5. PPL(제품 홍보 광고)
6. 브랜드콘텐츠제작(제품 리뷰)
7. 미디어커머스(제품 홍보 광고)
8. 굿즈 판매!(자체적으로 제품 제작 판매)
9. 본인 사업과 병행하기!
10. 지식을 토대로 강의/강연
11. 출판을 통한 책 판매
12. 컨설팅/상담/코칭!
13. 2차 콘텐츠 판매(영화, 드라마.웹툰..)
14. 크라우드 펀딩!(투자자 모집)
15. 쇼셜커머스 공동구매

—유튜브 〈유튜브랩 2.0〉—

리더 자신 분야 최고의 수입 플랫폼 연결
고리가 되어 자신 분야를 무한대로 연결해
준다.

— 《리더는 유튜브가 아닌 나튜브 1》 저자 최보규 —

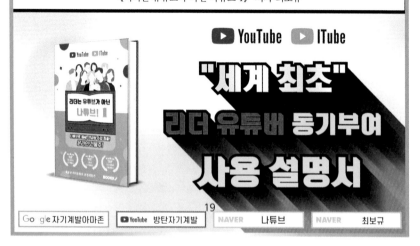

19

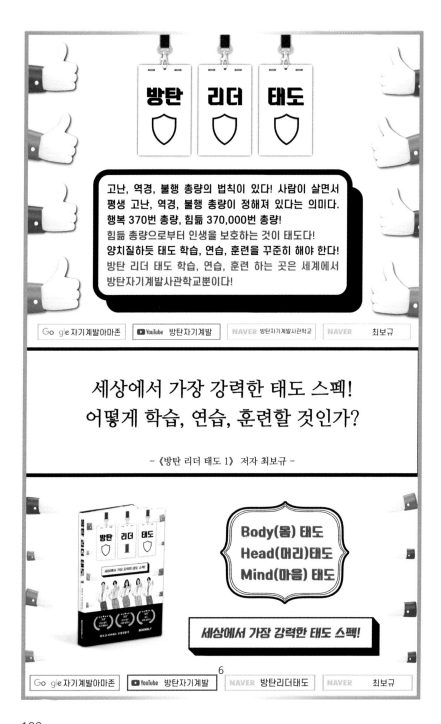

방탄 리더 태도

고난, 역경, 불행 총량의 법칙이 있다! 사람이 살면서 평생 고난, 역경, 불행 총량이 정해져 있다는 의미다. 행복 370번 총량, 힘듦 370,000번 총량! 힘듦 총량으로부터 인생을 보호하는 것이 태도다! 양치질하듯 태도 학습, 연습, 훈련을 꾸준히 해야 한다! 방탄 리더 태도 학습, 연습, 훈련 하는 곳은 세계에서 방탄자기계발사관학교뿐이다!

Google 자기계발아마존　　▶YouTube 방탄자기계발　　NAVER 방탄자기계발사관학교　　NAVER 최보규

세상에서 가장 강력한 태도 스펙!
어떻게 학습, 연습, 훈련할 것인가?

- 《방탄 리더 태도 1》 저자 최보규 -

Body(몸) 태도
Head(머리)태도
Mind(마음) 태도

세상에서 가장 강력한 태도 스펙!

Google 자기계발아마존　　▶YouTube 방탄자기계발　　NAVER 방탄리더태도　　NAVER 최보규

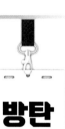

방탄 리더 태도

Body, Head, Mind 태도

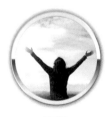

Body(몸)태도
몸이 건강하지 않으면 건강한 태도가 나오지 않는다.

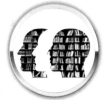

Head(머리)태도
머리에 든 지식이 없으면 깡통 태도가 나온다.

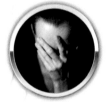

Mind(마음)태도
마음이 우울하면 우울한 태도가 나온다.

14

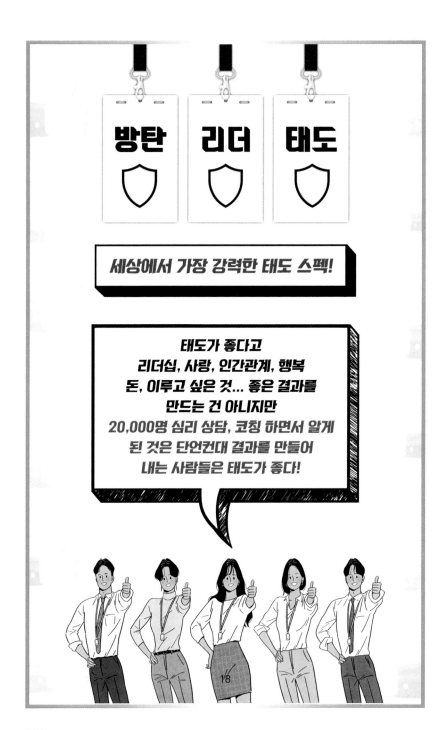

방탄 리더 태도

세상에서 가장 강력한 태도 스펙!

태도가 좋다고
리더십, 사랑, 인간관계, 행복
돈, 이루고 싶은 것... 좋은 결과를
만드는 건 아니지만
20,000명 심리 상담, 코칭 하면서 알게
된 것은 단언컨대 결과를 만들어
내는 사람들은 태도가 좋다!

세상에는 3부류에 태도를 배우는 사람이 있다!

태포자(태도 포기자)

수많은 태도 교육 영상, 글... 등을 봤지만 전혀 동기부여가 되지 않아 태도를 포기한 사람.

태포 예정자

수많은 태도 교육 독서, 자격증, 교육, 코칭을 받지만 그때뿐이고 시간, 돈 낭비만 하는 사람.

태케시(태도 교육 케어 시스템)

태도 교육을 시스템 안에서 태도 교육 주치의에게 150년 a/s, 피드백, 관리 받으면서 자신 분야 변화, 성장을 초고속으로 준비 하는 사람.

19

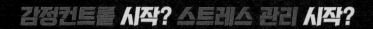

감정컨트롤 시작? 스트레스 관리 시작?

모든 사람에게 일어나는
자연의 이치인 하루 동안 좋은 감정 10%, 안 좋은 감정 90%다!
감정컨트롤, 스트레스 관리 시작은
안 좋은 감정 90%도 내 것이라고 인정하는 것이다.
인정하기 위한 리더 감정컨트롤 7요소 학습, 연습, 훈련을 꾸준히 해야 한다!

하루 동안 안 좋은 감정 90%

하루 동안 좋은 감정 10%

★ 세계 인구 80억 명 감정 80억 가지!
감정컨트롤 고.틀.선.편 깨기
(고정관념, 틀, 선입견, 편견)

– 《방탄 리더 감정컨트롤 1》 저자 최보규 –

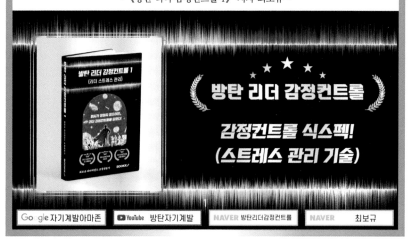

자신 감정을 가장 많이 흔드는 사람
베스트 5!

1	자기 자신	★★★★★
2	가족	★★★★★
3	결혼한 배우자	★★★★★
4	자녀	★★★★★
5		★★★★★

역으로 생각하면 감정컨트롤 최고의

방법을 알려주는 사람이 가장 가까운 관계다!

7

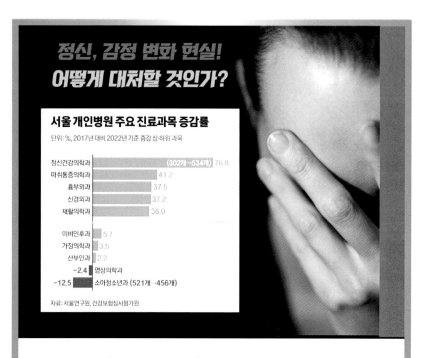

★ 세상 모든 심리학자가 말하는
감정컨트롤 최고의 방법!

－《방탄 리더 감정컨트롤 1》 저자 최보규 －

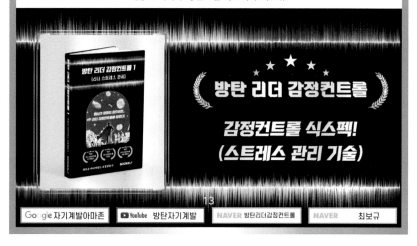

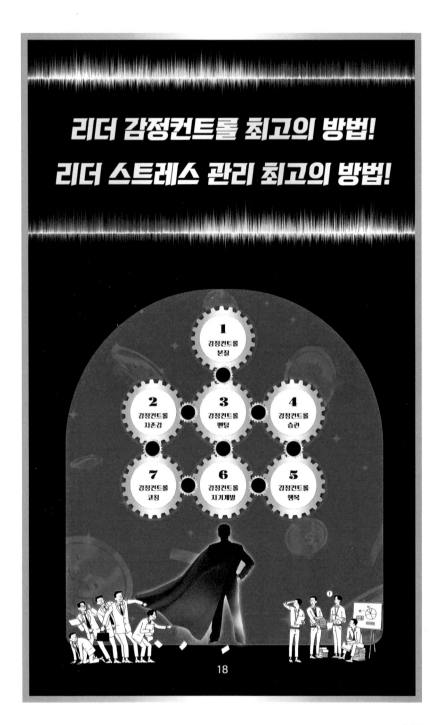

리더 자신 분야 삼성(진정성, 전문성, 신뢰성)을 올리는 최고의 자기계발은 책 쓰기, 책 출간이다!

책을 출간한다고 다 전문가가 되는 게 아니다!
하지만 전문가들은 책을 출간한다.
자신 분야 삼성(진정성, 전문성, 신뢰성)을
단기간에 올리고
시간, 돈 낭비를 줄여주는 최고의 방법이 책 출간이다!

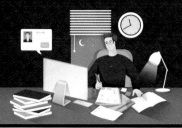

리더 자신 분야 삼성(진정성, 전문성, 신뢰성)을 올리는 최고의 자기계발은 책 쓰기, 책 출간이다!

– 《방탄 리더 책쓰기 1》 저자 최보규 –

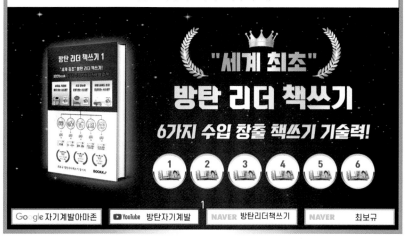

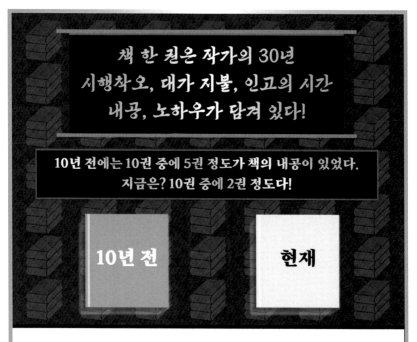

책 한 권은 작가의 30년
시행착오, 대가 지불, 인고의 시간
내공, 노하우가 담겨 있다!

10년 전에는 10권 중에 5권 정도가 책의 내공이 있었다.
지금은? 10권 중에 2권 정도다!

10년 전

현재

"한 권의 책은 그 사람의 30년 시행착오, 대가 지불, 인고의 시간, 내공이 들어있어 한 권으로 배우는 것이다."라는 말을 들어봤을 것이다.

- 《방탄 리더 책쓰기 1》 저자 최보규 -

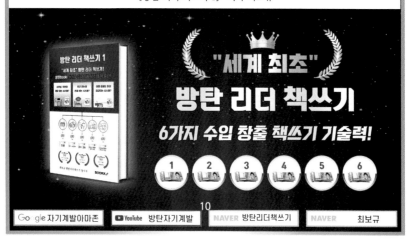

책 쓰기는 운전면허 취득 과정과 같다?

책 쓰기, 책 출간 의미부여, 목표, 방향이 없으면
무면허로 운전하는 거와 같다!

누군가는 운전면허증을 취득하려는 의미부여, 목표, 방향이 남들 다 운전면허증이 있으니 별 의미부여, 목표, 방향 없이 운전면허증을 취득하려고 한다.

– 《방탄 리더 책쓰기 1》 저자 최보규 –

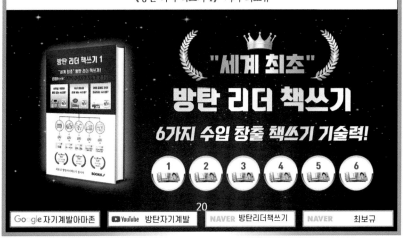

대한민국 5가지 책 출판 개념의 장, 단점을 알고 전략적으로 책을 써야 한다.

기획출판	공동 기획출판	자비출판	대필출판	독립(개인)출판
출판사에서 100% 다 해준다!	출판사 저자 50%:50%	출간 비용 지불하면 50% 만 해준다!	출간 비용 지불하면 100% 다 해준다!	저자가 출판사가 되어 100% 다 한다!
출판사에서 책 한 권에 들어가는 모든 비용 2000~3000만 원 투자! - 저자 출간비용 0원!	저자 출간비용 기본 150만 원 + 추가비용	저자 출간비용 기본 100만 원+ 추가비용만 내면 출판사에서 다 해준다!	저자 출간비용 기본 300만 원+ 추가비용만 내면 출판사에서 다 해준다!	저자가 출판 모두 진행 0원, 500만 원 ~ 3,000만 원

기획출판, 공동 기획출판, 자비 출판, 대필출판, 독립(개인)출판 장, 단점을 모르면 책 쓸 자격이 없다! 기획출판, 공동 기획출판, 자비 출판, 대필출판, 독립(개인)출판의 원고, 기간, 인세, 비용, 출판부수, 장단점을 파악해야만 자신 책 쓰기, 책 출간 목표, 방향이 잡혀서 책 쓰기, 책 출간에 날개를 달게 된다.

- 《방탄 리더 책쓰기 1》 저자 최보규 -

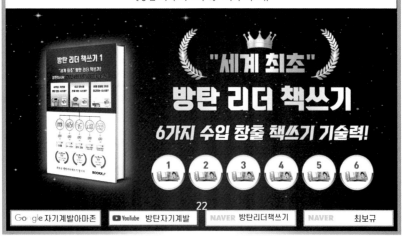

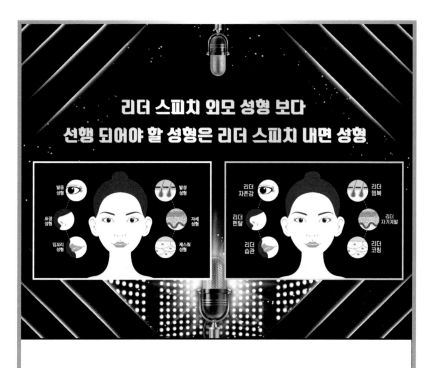

90%가 잘 못 알고 있는 스피치 본질! 스피치 고.틀.선.편 깨기(고정관념, 틀, 선입견, 편견)

- 《방탄 리더 스피치 1》 저자 최보규 -

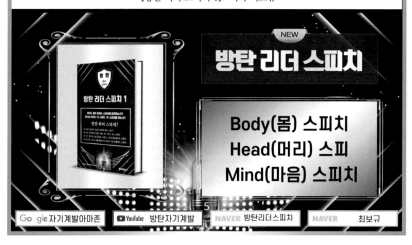

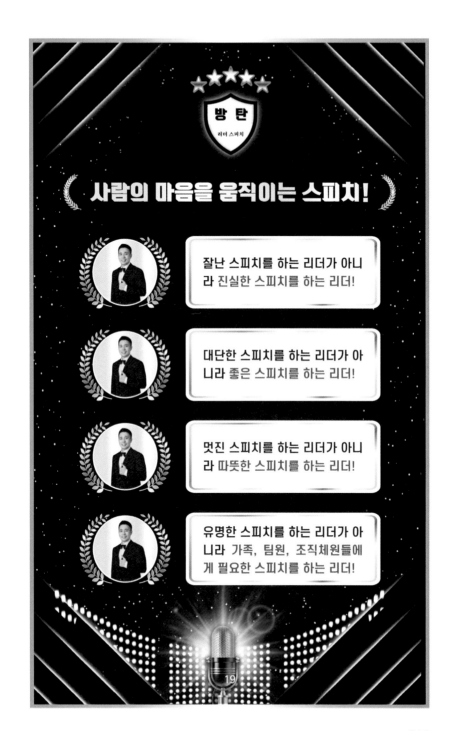

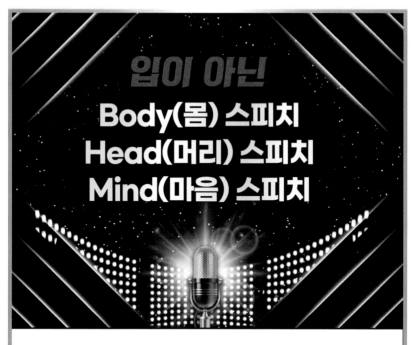

Body(몸) 스피치, Head(머리) 스피치, Mind(마음) 스피치 학습, 연습, 훈련 하는 방법 320가지!

- 《방탄 리더 스피치 1》 저자 최보규 -

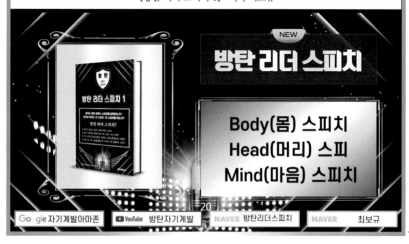

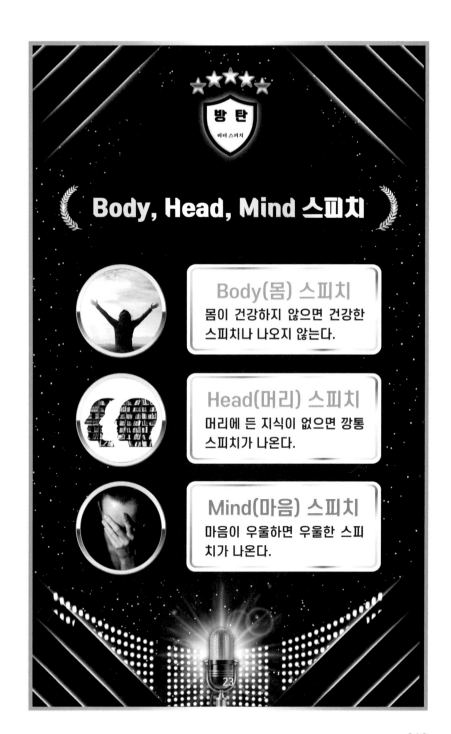

Body, Head, Mind 스피치

Body(몸) 스피치
몸이 건강하지 않으면 건강한 스피치나 나오지 않는다.

Head(머리) 스피치
머리에 든 지식이 없으면 깡통 스피치가 나온다.

Mind(마음) 스피치
마음이 우울하면 우울한 스피치가 나온다.

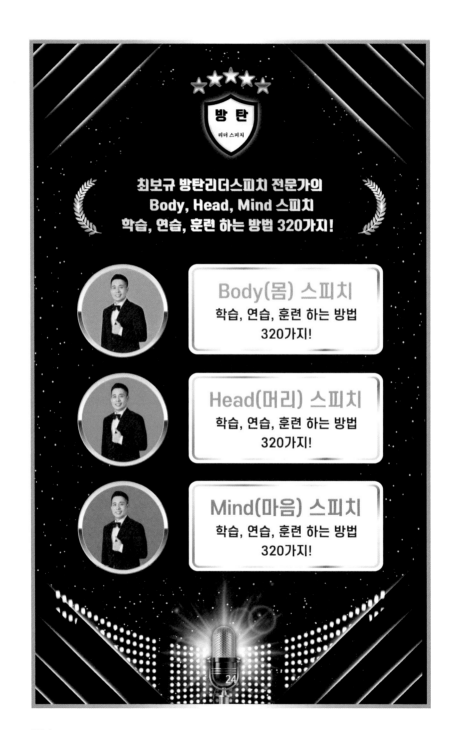

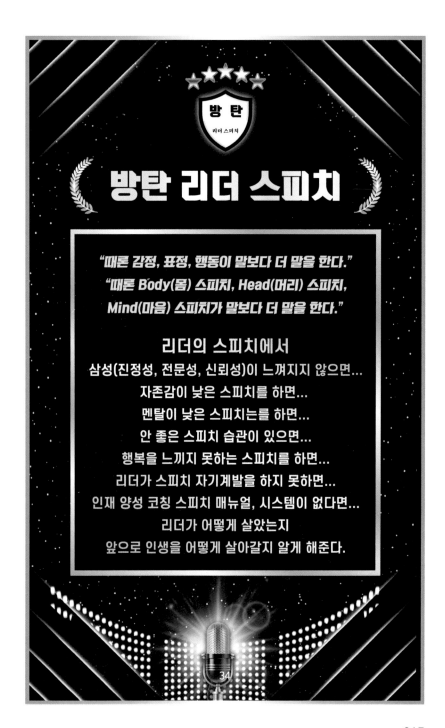

방탄 리더 스피치

"때론 감정, 표정, 행동이 말보다 더 말을 한다."
"때론 Body(몸) 스피치, Head(머리) 스피치,
Mind(마음) 스피치가 말보다 더 말을 한다."

리더의 스피치에서

삼성(진정성, 전문성, 신뢰성)이 느껴지지 않으면...
자존감이 낮은 스피치를 하면...
멘탈이 낮은 스피치는를 하면...
안 좋은 스피치 습관이 있으면...
행복을 느끼지 못하는 스피치를 하면...
리더가 스피치 자기계발을 하지 못하면...
인재 양성 코칭 스피치 매뉴얼, 시스템이 없다면...
리더가 어떻게 살았는지
앞으로 인생을 어떻게 살아갈지 알게 해준다.

**자기계발, 동기부여 책 200권, 영상 300개, 교육 들어도
자기계발, 동기부여가 안 되는 이유?**

늘 그때뿐인 자기계발, 동기부여?
책, 영상, 메시지, 사진, 교육, 코칭...등
어떻게 하면 시간, 돈 낭비를 줄일 수 있을까?

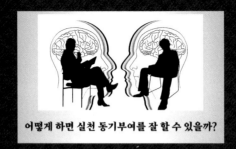

어떻게 하면 실천 동기부여를 잘 할 수 있을까?

늘 그때뿐인 자기계발, 동기부여?
책, 영상, 메시지, 사진, 교육, 코칭...등
어떻게 하면 시간, 돈 낭비를 줄일 수 있을까?

– 《방탄 리더 동기부여 1》 저자 최보규 –

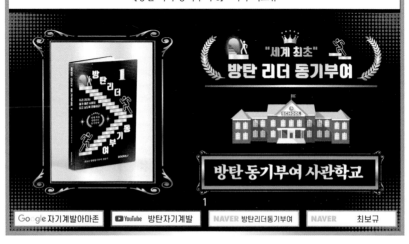

Google 자기계발아마존　　▶YouTube 방탄자기계발　　NAVER 방탄리더동기부여　　NAVER　　최보규

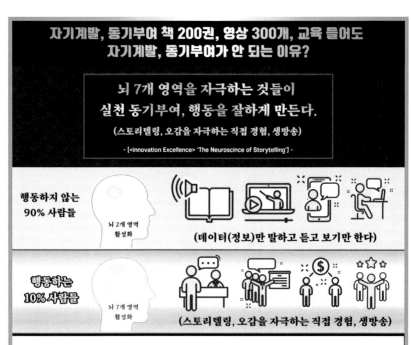

자기계발, 동기부여 책 200권, 영상 300개, 교육 들어도 자기계발, 동기부여가 안 되는 이유?

뇌 7개 영역을 자극하는 것들이 실천 동기부여, 행동을 잘하게 만든다.

(스토리텔링, 오감을 자극하는 직접 경험, 생방송)

- [<Innovation Excellence> 'The Neuroscince of Storytelling'] -

행동하지 않는
90% 사람들

뇌 2개 영역
활성화

(데이터(정보)만 말하고 듣고 보기만 한다)

행동하는
10% 사람들

뇌 7개 영역
활성화

(스토리텔링, 오감을 자극하는 직접 경험, 생방송)

기본적인 사람의 심리는 데이터로(정보)만 말했을 때, 데이터로(정보)만 들었을 때, 데이터로(정보)만 봤을 때는 뇌의 2개의 영역만 활성화된다. 데이터가 아닌 스토리로 보고, 스토리로 듣고, 스토리로 말하고, 스토리로 경험을 하면 뇌의 7개의 영역이 활성화 되어 더 행동하게 만들고 더 실천하게 만든다.

– 《방탄 리더 동기부여 1》 저자 최보규 –

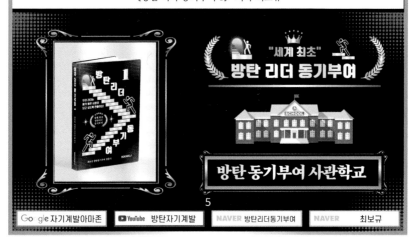

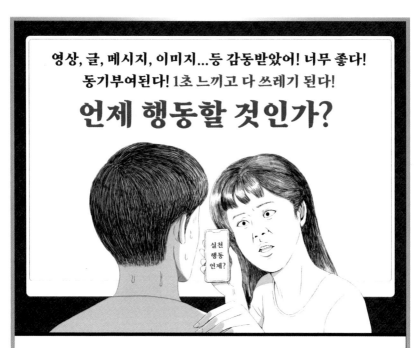

"아~ 실천해야 하니까 지금 필사하자. 지금 메모해 놔야겠다!" 이런 사람 몇 명이나 될까? "영상, 글, 메시지, 이미지 감동받았어! 너무 좋다! 이거 저장해 두어야겠다!" 이런 사람 몇 명이나 될까?

– 《방탄 리더 동기부여 1》 저자 최보규 –

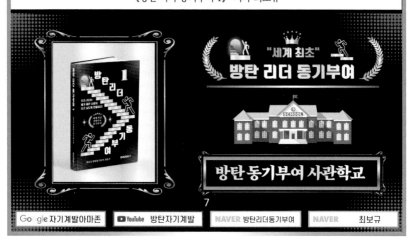

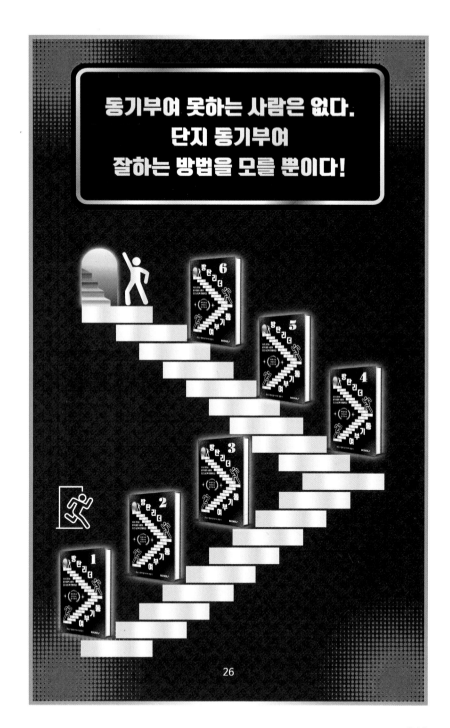

◆ 참고문헌, 출처

<네이버 블로그 프로젝트 위드>
[뉴스핌 Newspim] 김겨레 기자
《감정 경제학》 조원경, 페이지2북스, 2023

강사 비수기 5개월 9
(돈 못 버는 강사 돈 버는 강사)

발 행 | 2024년 08월 08일

저 자 | 최보규, 서윤희

편 집 | 최보규, 서윤희

디자인 | 최보규, 서윤희

마케팅 | 최보규

펴낸이 | 한건희

펴낸곳 | 주식회사 부크크

출판사등록 | 2014.07.15.(제2014-16호)

주 소 | 서울특별시 금천구 가산디지털1로 119 SK트윈타워 A동 305호

전 화 | 1670-8316

이메일 | info@bookk.co.kr

ISBN | 979-11-410-9866-7

www.bookk.co.kr